DIX PETITS

Ce roman a paru sous le titre original :

TEN LITTLE NIGGERS

AGATHA CHRISTIE

Dix Petits Nègres

NOUVELLE TRADUCTION DE GÉRARD DE CHERGÉ

Postface de François Rivière

LIBRAIRIE DES CHAMPS-ÉLYSÉES

1

Dans le coin fenêtre d'un compartiment fumeurs de première classe, le juge Wargrave, retraité depuis peu, tirait sur son cigare en parcourant avec intérêt les pages politiques du *Times*.

Posant son journal, il regarda par la vitre. Ils traversaient maintenant le Somerset. Il jeta un coup d'œil à sa montre : encore deux heures de voyage.

Mentalement, il passa en revue tout ce qui avait paru dans la presse au sujet de l'île du Nègre.

Il y avait d'abord eu la nouvelle de son achat par un milliardaire américain fanatique de yachting – assortie de la description de la luxueuse demeure ultra-moderne qu'il faisait construire sur cet îlot au large du Devon. Le fait malencontreux que la toute récente et néanmoins troisième épouse dudit milliardaire n'eût pas le pied marin avait entraîné la mise en vente de l'île et de la maison. Des publicités dithyrambiques avaient alors été placardées un peu partout. Jusqu'au jour où on avait sobrement annoncé qu'elle avait été rachetée par un certain Mr O'Nyme. Les échotiers s'étaient tout aussitôt déchaînés. Selon eux, l'île du Nègre avait été acquise en réalité par miss Gabrielle Turl, la star hollywoodienne ! Elle rêvait d'y passer quelques mois à l'abri de toute publicité ! *La Commère* laissait entendre à mots couverts que la famille royale comptait y établir ses quartiers d'été ! *Mr Merryweather* avouait s'être laissé dire en confidence que l'île avait été achetée en vue d'une lune de miel : le jeune lord L. avait enfin succombé à Cupidon ! *Jonas* savait de source sûre que l'Amirauté l'avait acquise en vue d'y procéder à des expériences *secrètissimes* !

Pas de doute, l'île du Nègre faisait vendre de la copie !

Le juge Wargrave sortit une lettre de sa poche. L'écriture en était indéchiffrable, mais quelques mots ressortaient çà et là avec une clarté inattendue : *Lawrence, très cher,... sans nouvelles de vous depuis tant d'années... absolument venir à l'île du Nègre... un cadre enchanteur... tant de choses à nous raconter... le bon vieux temps... communion avec la Nature... rôtir au soleil... départ de Paddington à 12 h 40... vous ferai prendre à Oakbridge...* Et sa correspondante concluait : *Bien à vous*, suivi d'un élégant *Constance Culmington* adorné d'un paraphe.

Le juge Wargrave s'efforça de se rappeler depuis combien de temps il n'avait pas vu lady Constance Culmington. Cela devait faire sept... non, huit ans. À l'époque, elle partait pour l'Italie afin de « rôtir au soleil » et de « communier avec la Nature » et les *contadini*. Plus tard, il avait entendu dire qu'elle avait continué sa route jusqu'en Syrie, afin de rôtir sous un soleil plus ardent encore et de vivre en symbiose avec la Nature... et cette fois les bédouins.

Constance Culmington, se dit-il, était tout à fait le genre de femme à acheter une île et à s'entourer de mystère ! Approuvant d'un léger hochement de tête la logique de sa réflexion, le juge Wargrave se mit à dodeliner du chef...

Et s'endormit.

*

Dans le compartiment de troisième classe où s'entassaient cinq autres voyageurs, Vera Claythorne appuya la tête contre le dossier et ferma les yeux. Ce qu'il pouvait faire chaud, dans ce train ! Se retrouver au bord de la mer ne serait pas du luxe ! Quelle aubaine que d'avoir décroché ce job ! Quand on se cherche un gagne-pain pour l'été, on se retrouve neuf fois sur dix à surveiller une ribambelle de gosses ; dénicher un poste de secrétaire temporaire, c'était une autre paire de manches. Même à l'agence, on ne l'avait guère bercée d'espoir.

Et puis la lettre était arrivée :

L'Agence de la Professionnelle Qualifiée m'a communiqué votre nom et vous a recommandée à moi. Si j'ai bien compris, ils vous connaissent personnellement. Je suis disposée à vous verser le salaire auquel vous prétendez, étant entendu que vous entrerez en fonction le 8 août. Le train part de Paddington à 12 h 40 et on vous attendra à la gare d'Oakbridge. Ci-joint cinq billets d'une livre pour vos frais.

Meilleurs sentiments,
Alvina Nancy O'Nyme

L'adresse figurait en haut : *Île du Nègre, Sticklehaven, Devon...*

L'île du Nègre ! Mais on ne parlait plus que de ça dans tous les journaux ! Il courait dessus toutes sortes de bruits et de ragots fascinants. Sans doute faux, d'ailleurs, pour la plupart. Ce qu'il y avait de sûr, c'est que la maison avait bel et bien été construite par un milliardaire et que c'était, paraît-il, le fin du fin en matière de luxe.

Éreintée par un dernier trimestre scolaire éprouvant, Vera Claythorne pensa : « Prof de gym dans une école de troisième zone, ce n'est pas une vie... Si seulement je pouvais me faire embaucher dans une boîte pas trop moche ! »

Puis, avec un petit froid au cœur : « Mais j'ai déjà de la chance d'avoir trouvé ça. Après tout, une enquête judiciaire, ça fait toujours mauvais effet, même si pour moi ça s'est terminé par un non-lieu ! »

Le coroner l'avait même félicitée pour sa présence d'esprit et son courage. Ça n'aurait pas pu se passer mieux. Et Mrs Hamilton avait été la bonté même. Il n'y avait que Hugo qui... *mais elle n'allait pas se mettre à penser à Hugo !*

Soudain, malgré la chaleur qui régnait dans le compartiment, elle frissonna et regretta d'aller à la mer. Une image hantait son esprit : *la tête de Cyril qui jouait les ludions alors qu'il nageait vers le rocher, sa tête qui dansait comme un bouchon* – de haut en bas, de haut en bas... Et elle qui nageait à la rescousse à larges brasses maîtrisées, qui fendait l'eau dans le sillage du gamin tout en sachant pertinemment qu'elle ne le rattraperait que trop tard...

La mer... son bleu chaud et profond... les matinées passées à lézarder sur la plage... Hugo... Hugo qui lui avait dit qu'il l'aimait...

Il ne fallait pas qu'elle pense à Hugo...

Elle rouvrit les yeux et, sourcils froncés, regarda l'homme qui était assis en face d'elle. Un grand type au visage boucané, aux yeux clairs assez rapprochés, à la bouche arrogante, presque cruelle.

« Je parie qu'il a roulé sa bosse dans des régions peu banales, et qu'il y a vu des choses pas banales non plus... »

*

Jaugeant d'un coup d'œil oblique la fille qui lui faisait face, Philip Lombard pensa :

« Plutôt gironde... un rien maîtresse d'école, peut-être bien. »

Une fille à qui on ne la faisait pas – une fille capable de jouer le jeu, en amour comme à la guerre. Ça ne lui aurait pas déplu de lui faire un brin de rentre-dedans...

Il se renfrogna. Non, pas question ! Pas touche ! Il n'était pas là pour rigoler. Ce qu'il fallait, c'était qu'il se concentre sur son boulot.

De quoi est-ce qu'il retournait, au juste ? Ce petit youpin s'était montré bougrement mystérieux.

– À prendre ou à laisser, capitaine Lombard.

– Cent guinées, O.K. ? avait-il rétorqué à tout hasard.

Il avait dit ça sur un ton dégagé, comme si cent guinées ne représentaient pour lui qu'une broutille. *Cent guinées*, quand il n'avait littéralement plus de quoi manger à tous les repas ! Malgré tout, il avait bien senti que le petit Juif n'était pas dupe ; c'était ça le chiendent avec ces Juifs, pas moyen de les rouler quand il s'agit de fric : ils connaissent la musique !

Du même ton dégagé, il avait demandé :

— Vous ne pouvez pas m'en dire plus ?

Mr Isaac Morris avait secoué sa petite tête chauve avec une belle détermination :

— Non, capitaine Lombard, nous en resterons là. Mon client sait que vous avez la réputation d'être l'homme des situations hasardeuses. Il m'a chargé de vous remettre cent guinées, en échange de quoi vous partirez pour Stickle-haven, dans le Devon. La gare la plus proche est Oakbridge ; on viendra vous y chercher et on vous conduira à Stickle-haven, où un canot à moteur vous transportera sur l'île du Nègre. Là, vous vous tiendrez à la disposition de mon client.

— Et ça va durer combien de temps ? avait encore demandé Lombard, sans prendre de gants.

— Une semaine au grand maximum.

Tout en lissant sa petite moustache, le capitaine Lombard s'était alors enquis :

— Il est bien entendu que je n'entreprendrai rien d'illégal ?

Ce disant, il avait jeté un regard aigu à son interlocuteur. L'ombre d'un sourire avait effleuré la lippe sémite de Mr Morris tandis qu'il répondait gravement :

— Si on vous proposait quoi que ce soit d'illégal, il va de soi que vous seriez libre de vous retirer.

Sale vermine hypocrite ! Il avait souri ! Comme s'il savait très bien que, dans les activités passées de Lombard, la légalité n'avait pas toujours été une condition *sine qua non*...

Lombard se fendit d'un sourire carnassier.

Bon dieu, il avait navigué près du vent plus souvent qu'à son tour ! Et il avait toujours réussi à s'en tirer ! Il n'était pas du genre à laisser les scrupules l'étouffer...

Non, il n'était vraiment pas du genre à laisser les scrupules l'étouffer. Il eut le sentiment qu'il allait bien s'amuser sur l'île du Nègre...

*

Raide comme un piquet selon son habitude, miss Emily Brent était installée dans un compartiment non-fumeurs. Elle avait soixante-cinq ans et désapprouvait le laisser-aller. Son père, colonel de la vieille école, avait toujours été très strict sur le chapitre du maintien.

La jeune génération était scandaleusement laxiste – dans sa façon de se tenir *comme dans bien d'autres domaines d'ailleurs...*

Auréolée de rigorisme et de principes inébranlables, miss Brent endurait stoïquement l'inconfort et la chaleur de son compartiment de troisième classe surpeuplé. Les gens faisaient tellement d'histoires pour des riens, de nos jours ! Ils exigeaient une piqûre avant qu'on leur arrache une dent... ils prenaient des somnifères quand ils n'arrivaient pas à dormir... il leur fallait des fauteuils rembourrés par-ci, des coussins par-là – et les jeunes filles se tenaient n'importe comment et s'exhibaient à moitié nues sur les plages en été.

Miss Brent pinça les lèvres. Elle aurait volontiers procédé à quelques exécutions pour l'exemple.

Elle ne se remémorait pas sans frémir ses vacances de l'année précédente. Mais cet été, ce serait bien différent. L'île du Nègre...

En pensée, elle relut la lettre qu'elle avait déjà lue tant de fois.

Chère miss Brent,

Vous vous souvenez de moi, j'espère ? Nous avons séjourné tout le mois d'août ensemble à la pension Belhaven il y a quelques années et nous avions beaucoup sympathisé.

J'ouvre à mon tour une pension de famille sur une île, au large de la côte du Devon. J'estime qu'il y a vraiment de l'avenir pour un établissement où l'on propose de la bonne cuisine toute simple et où l'on reçoit une clientèle triée sur le volet et respectueuse de nos vieux codes de civi-

*lité puérile et honnête. Foin de cet exhibitionnisme éhonté
et de ces horribles gramophones les trois quarts de la nuit !
Je serais très heureuse si vous pouviez envisager de venir
passer vos vacances d'été sur l'île du Nègre – à titre gra-
tuit : vous seriez mon invitée. Le début août vous convien-
drait-il ? Pourquoi pas le 8, si vous le voulez bien.*

Avec mon meilleur souvenir,
Alvina Nancy O'N...

Quel était donc ce nom ? La signature était bien difficile
à déchiffrer. «Tous ces gens qui signent de manière illisible... ! » pensa Emily Brent, agacée.

Elle passa mentalement en revue les habitués du Belhaven. Elle y était allée deux étés de suite. Elle se rappelait
une femme charmante, entre deux âges... miss... miss...
comment s'appelait-elle, déjà ? Son père était chanoine. Elle
se souvenait également d'une Mrs O'Neary... O'Norry...
non, *Oliver* ! Oui, c'était bien cela : Oliver.

L'île du Nègre ! Elle avait lu quelque chose dans le journal
au sujet de l'île du Nègre – il avait été question d'une star
de cinéma... ou d'un milliardaire américain, elle ne savait
plus au juste.

Bien sûr, ces endroits-là se vendent souvent pour une bou-
chée de pain : une île, cela ne plaît pas à tout le monde. On
trouve l'idée romanesque au début, mais quand il s'agit d'y
vivre, on en mesure les inconvénients et on n'est que trop
heureux de parvenir à vendre.

«Quoi qu'il en soit, cela me fera toujours des vacances
gratuites », pensa Emily Brent.

Avec ses revenus qui diminuaient et tous les dividendes
qu'on ne lui payait pas, ce n'était pas à dédaigner. Si seulement elle arrivait à se souvenir un peu plus de cette Mrs
– ou miss ? – Oliver !

*

Le général Macarthur regarda par la vitre de son compartiment. Le train entrait en gare d'Exeter, où il devait changer. Quelle plaie, ces tortillards des lignes secondaires ! À vol d'oiseau, l'île du Nègre n'était pourtant pas loin.

Cet O'Nyme, il n'avait pas très bien saisi qui c'était. Un ami de Spoof Leggard, apparemment – et de Johnnie Dyer.

« *Quelques-uns de vos anciens camarades seront là... auraient plaisir à bavarder du bon vieux temps.* »

Lui aussi, il aurait plaisir à bavarder du bon vieux temps. Depuis un moment, il avait l'impression que ses copains lui battaient froid. Tout ça à cause de cette fichue rumeur ! Crénom, c'était un peu fort de café... presque trente ans après ! C'était Armitage qui avait craché le morceau, sans doute. Foutu blanc-bec ! Qu'est-ce qu'il en savait, *lui* ? Oh, et puis inutile de ressasser tout ça ! On se fait parfois des idées – on s'imagine qu'on vous regarde de travers...

Cela dit, cette île du Nègre, ça l'intéresserait de la voir. Un tas de bruits circulaient à son sujet. Il y avait peut-être du vrai dans ce qu'on disait, à savoir que l'Amirauté, le ministère de la Guerre ou l'armée de l'Air auraient mis le grappin dessus...

En tout cas, c'était ce jeunot d'Elmer Robson – le milliardaire américain – qui avait fait construire la maison. Ça lui avait coûté des mille et des cents, d'après ce qu'on disait. Le fin du fin en matière de luxe...

Exeter ! Et une heure d'attente, une ! Et il enrageait de devoir attendre. Il n'avait qu'une hâte, c'était d'arriver...

*

Le Dr Armstrong traversait la plaine de Salisbury au volant de sa Morris. Il était vanné... La rançon du succès ! Il avait connu un temps où, vissé dans son cabinet de consultation de Harley Street, impeccablement vêtu, entouré des appareils les plus sophistiqués et du mobilier le plus luxueux, il attendait sans relâche – au fil de journées passées sans voir un chat – que son entreprise réussisse ou échoue...

Eh bien, ça avait marché ! La chance avait joué en sa

faveur. La chance et sa compétence, bien sûr. Il était très
fort dans sa partie – mais ça, ça ne suffisait pas à assurer le
succès. Il fallait de la chance par-dessus le marché. Et il en
avait eu ! Un diagnostic exact, deux ou trois patientes recon-
naissantes – des femmes à grosse galette et à position en
vue – et le bouche à oreille avait fonctionné. « Vous devriez
essayer le Dr Armstrong... il est *très* jeune, mais *tellement*
doué... Ça faisait des années que Pam courait de spécialistes
en charlatans – et lui, il a tout de suite mis le doigt sur ce
qui n'allait pas ! » La machine était lancée.

Aujourd'hui, le Dr Armstrong était un médecin arrivé.
Ses journées étaient surchargées. Il avait peu de loisirs. Ce
qui fait qu'il était heureux, en cette matinée d'août, de quitter
Londres pour aller passer quelques jours sur une île, au large
de la côte du Devon. Des vacances ? Pas exactement. Car,
si la lettre qu'il avait reçue était formulée en termes assez
vagues, le chèque qui l'accompagnait n'avait, lui, rien de
vague. Des honoraires époustouflants ! Ces O'Nyme
devaient rouler sur l'or. Apparemment, il y avait un petit
problème : le mari se faisait du souci pour la santé de sa
femme et souhaitait un avis médical sans la paniquer pour
autant. Elle ne voulait pas entendre parler de médecin. Les
nerfs...

Les nerfs ! Le Dr Armstrong leva les yeux au ciel. Les
femmes et leurs nerfs ! Bof ! après tout, c'était bon pour le
commerce. La moitié des patientes qui le consultaient
n'étaient malades que d'ennui, mais qu'elles apprécient ce
genre de diagnostic, c'était une autre paire de manches ! En
règle générale, il arrivait bien à leur trouver quelque chose.

« Un léger dysfonctionnement du... – un long terme technique. Rien de bien méchant, mais il faut corriger ça. Un
traitement anodin devrait faire l'affaire. »

À tout prendre, la médecine, c'est essentiellement une
question de foi. Et le Dr Armstrong avait la manière : il
savait inspirer la confiance et faire naître l'espoir.

Heureusement qu'il s'était ressaisi à temps, après cette
histoire d'il y a dix... non, quinze ans. Là, il s'en était fallu

de peu ! Il avait bien failli plonger. Le choc l'avait fait réagir. Il avait complètement cessé de boire. N'empêche, il avait frôlé la catastrophe...

Avec un coup de klaxon assourdissant, une énorme Dalmain grand-sport le doubla à 130 à l'heure. Le Dr Armstrong faillit se retrouver dans le décor. Encore un de ces jeunes abrutis qui roulent à tombeau ouvert ! Il ne pouvait pas les encaisser. Il s'en était fallu de peu, là aussi. Fichu crétin !

*

Tout en faisant une entrée fracassante dans le village de Mere, Tony Marston pensait : « C'est dingue le nombre de voitures qui lambinent sur les routes. Toujours un traînard pour vous bloquer le passage. Et pour ne rien arranger, ils roulent au milieu de la chaussée ! Conduire en Angleterre, c'est à désespérer – pas comme en France où on peut vraiment lâcher les gaz à fond... »

Est-ce qu'il allait prendre un verre ici ou bien pousser plus loin ? Du temps, il en avait à revendre ! Plus que cent cinquante kilomètres et des poussières. Il allait s'envoyer un gin-tonic derrière la cravate. Il faisait une chaleur à crever !

Cette île, on devrait pouvoir s'y amuser – à condition que le temps se maintienne au beau fixe. Mais c'étaient qui au juste, ces O'Nyme ? Sans doute de gros richards puants. Badger La Fouine – pour ses intimes – avait le chic pour dégoter ce genre de gens. Bien obligé, le pauvre vieux : quand on n'a pas un rond...

Pourvu qu'ils ne mégotent pas sur la boisson. On ne sait jamais, avec ces nouveaux riches. Dommage que ce ne soit pas Gabrielle Turl qui ait acheté l'île du Nègre, comme le bruit en avait couru. Il aurait bien aimé se frotter à l'entourage d'une star.

Bah ! il y aurait quand même bien quelques filles...

En sortant de l'auberge, il s'étira, bâilla, regarda le ciel bleu et remonta dans sa Dalmain.

Deux ou trois jeunes femmes bayèrent d'admiration devant ce beau gosse d'un mètre quatre-vingts, aux cheveux bouclés, au visage bronzé et aux yeux d'un bleu éclatant.

Il embraya dans un vrombissement et fonça en cahotant dans la rue étroite. Les passants sautèrent sur les trottoirs. Les gamins, émerveillés, suivirent sa voiture des yeux.

Anthony Marston poursuivait sa marche triomphale.

*

Mr Blore avait pris l'omnibus en provenance de Plymouth. Il n'y avait qu'un autre individu dans son compartiment – un vieux loup de mer aux yeux chassieux. Pour l'instant, l'ex-marin somnolait.

Mr Blore prenait soigneusement des notes sur son calepin.

– Le compte est bon, marmonna-t-il enfin. Emily Brent, Vera Claythorne, le Dr Armstrong, Anthony Marston, le vieux juge Wargrave, Philip Lombard, le général Macarthur – compagnon de l'Ordre de Saint Michel et Saint Georges, croix de guerre –, le majordome et sa femme : Mr et Mrs Rogers.

Il ferma son calepin, le remit dans sa poche et jeta un coup d'œil à l'homme assoupi dans son coin.

– Il a du vent dans les voiles, diagnostiqua-t-il avec à-propos.

Mr Blore récapitula consciencieusement les données du problème.

« Le boulot devrait être plutôt peinard, rumina-t-il. Je ne vois pas comment je pourrais cafouiller. J'espère que je n'ai pas la tête de l'emploi, comme dit l'autre. »

Il se leva pour s'examiner avec anxiété dans la glace. Avec sa moustache, il avait quelque chose de vaguement militaire. Le visage était peu expressif. Les yeux gris et assez rapprochés.

« Je pourrais me faire passer pour un chef de bataillon, se dit Mr Blore. Non, j'oubliais... Il y a la vieille culotte de peau. Il me repérerait tout de suite.

« L'Afrique du Sud, voilà ce qu'il me faut ! Les autres n'ont jamais fichu les pieds en Afrique du Sud ; tandis que moi, je viens de lire une brochure sur ce bled, ce qui fait que je peux en parler savamment. »

Heureusement, il y a des colons en tous genres et de toutes les catégories sociales. En se présentant comme un riche propriétaire originaire d'Afrique du Sud, Mr Blore se faisait fort de s'introduire sans difficulté dans n'importe quel milieu.

L'île du Nègre. Il se souvenait d'y être allé, tout gosse... Un rocher puant, couvert de mouettes et qui se dressait à environ un mille de la côte. L'île devait son nom à sa ressemblance avec une tête d'homme... un homme aux lèvres négroïdes.

Drôle d'idée d'aller construire une baraque dans un endroit pareil ! Atroce par gros temps ! Mais les milliardaires ont de ces caprices.

Le vieux se réveilla dans son coin du compartiment.

— En mer, gémit-il, on ne peut jamais prévoir. Jamais !

— C'est bien vrai, acquiesça Mr Blore d'un ton apaisant. Il n'y a pas moyen.

Le vieux hoqueta et reprit d'une voix plaintive :

— Il va y avoir un grain.

— Mais non, mon pote, riposta Mr Blore. Il fait un temps superbe.

Irrité, le vieil homme insista :

— Il va y avoir un grain. Je le *sens*.

— Peut-être bien que vous avez raison, fit Mr Blore, conciliant.

Le train s'arrêta. Le vieux marin se leva en titubant :

— C'est là que j'descends.

Il tâtonna pour ouvrir la portière. Mr Blore vint à son secours.

Debout sur le marchepied, le vieux leva solennellement la main et cligna de ses yeux chassieux.

— Veillez et priez, exhorta-t-il. Veillez et priez. Le jour du jugement est proche.

Il dégringola du marchepied et s'effondra sur le quai. Étendu de tout son long, il leva la tête vers Mr Blore et déclara avec une incommensurable dignité :

– C'est à *vous* que je parle, jeune homme. Le jour du jugement est proche... tout proche.

« Le jour du jugement est plus proche pour lui que pour moi ! » pensa Mr Blore en se laissant retomber sur son siège.

En quoi il se trompait...

2

Un petit groupe de voyageurs quelque peu perdus attendait devant la gare d'Oakbridge. Des porteurs chargés de valises les escortaient.

– Jim ! cria l'un d'eux.

Un taxi approcha.

– Z' allez à l'île du Nègre ? s'enquit-il avec l'accent chantant du Devon.

Quatre voix répondirent par l'affirmative – et aussitôt les intéressés échangèrent entre eux des coups d'œil furtifs.

S'adressant au juge Wargrave en sa qualité de membre le plus âgé du groupe, le chauffeur expliqua :

– Y a deux taxis, m'sieur. Y en a un qui doit rester là jusqu'à l'arrivée de l'omnibus d'Exeter – c'est l'affaire de cinq minutes – parce qu'il y a un autre monsieur qui est prévu par ce train-là. Peut-être bien qu'il y en a un de vous que ça ne gênerait pas d'attendre la seconde fournée ? Comme ça, tout le monde serait plus à son aise.

Consciente de ses devoirs de secrétaire, Vera Claythorne se proposa aussitôt.

– Allez-y si vous voulez bien, dit-elle. J'attendrai.

Elle avait, dans le regard et dans la voix, ce quelque chose d'autoritaire propre à ceux qui ont occupé un poste de commandement. On aurait dit qu'elle constituait des équipes de tennis avec ses élèves.

— Merci, dit sèchement miss Brent qui baissa la tête et monta dans le taxi dont le chauffeur tenait la portière ouverte.

Le juge Wargrave l'imita.

Le capitaine Lombard dit :

— J'attendrai avec miss...

— Claythorne, dit Vera.

— Je m'appelle Lombard. Philip Lombard.

Les porteurs empilaient les bagages sur le toit du taxi. À l'intérieur, le juge Wargrave déclara à sa voisine, avec toute la prudence inhérente à son ancienne fonction :

— C'est un bien beau temps que nous avons là.

— Oui, en effet, acquiesça miss Brent.

« Très distingué, ce vieux monsieur, se dit-elle. Bien différent du genre d'hommes qu'on rencontre habituellement dans les pensions de famille du bord de mer. De toute évidence, Mrs – ou miss – Oliver a d'excellentes relations... »

— Vous connaissez bien la région ? demanda le juge Wargrave.

— Je suis déjà allée en Cornouailles et à Torquay, mais c'est la première fois que je viens dans cette partie du Devon.

— Moi non plus, je ne suis pas familier avec la région, confia le juge.

Le taxi démarra.

— Vous n'avez pas envie de vous asseoir dans la voiture en attendant ? proposa le chauffeur du second taxi.

— Absolument pas, répondit Vera, catégorique.

Le capitaine Lombard sourit :

— Ce mur ensoleillé est plus séduisant. À moins que vous ne préfériez l'intérieur de la gare ?

— Surtout pas. C'est tellement bon d'avoir échappé à ce compartiment suffocant !

— Oui, reconnut-il, c'est assez éprouvant de voyager en train par ce temps.

— J'espère quand même que ça va durer – le beau temps,

je veux dire, déclara Vera sur le mode conventionnel. Nos étés anglais sont si traîtres !

— Vous connaissez bien la région ? s'enquit Lombard non sans un certain manque d'originalité.

— Non, c'est la première fois que j'y viens.

Et, bien résolue à ne pas laisser planer d'équivoque sur sa situation, elle ajouta vivement :

— Je n'ai même pas encore vu ma patronne.

— Votre patronne ?

— Oui, je suis la secrétaire de Mrs O'Nyme.

— Ah ! je vois.

Un changement à peine perceptible s'opéra chez Lombard. Son attitude devint plus assurée, son ton plus dégagé :

— Ce n'est pas un peu inhabituel, comme situation ?

Vera se mit à rire :

— Oh ! non, je n'en ai pas l'impression. Sa secrétaire est subitement tombée malade, elle a télégraphié à une agence pour réclamer une remplaçante... et on m'a envoyée.

— Ah, c'est comme ça que ça se passe ? Et si, une fois arrivée, la place ne vous plaisait pas ?

Vera se remit à rire :

— Bah ! c'est un emploi temporaire — juste pour les vacances. Pendant l'année, je travaille dans un collège de filles. En fait, je suis follement curieuse de voir l'île du Nègre. On en a tellement parlé dans les journaux... Elle est aussi fascinante qu'on le dit ?

— Je n'en sais rien, répondit Lombard. Je n'y ai jamais mis les pieds.

— Vraiment ? Les O'Nyme en sont entichés, j'imagine. Racontez-moi, comment sont-ils ?

« Un peu embêtant, cette question, pensa Lombard. Est-ce que je suis censé les avoir rencontrés ou pas ? »

— Vous avez une guêpe sur le bras ! s'exclama-t-il. Non... ne bougez pas.

Il fondit sur sa proie de façon convaincante :

— Voilà, elle est partie !

— Oh, merci. Il y a beaucoup de guêpes cet été.

– Oui. La chaleur, sans doute. Qui attendons-nous, vous êtes au courant ?

– Je n'en ai pas la moindre idée.

Le long sifflement strident d'un train entrant en gare se fit entendre.

– Ça doit être le train, fit Lombard avec originalité.

Un vieil homme, grand et d'allure militaire, apparut à la sortie. Ses cheveux gris étaient coupés ras et sa moustache blanche taillée avec soin.

Son porteur, qui chancelait un tantinet sous le poids d'une volumineuse valise de cuir, lui indiqua Vera et Lombard.

Vera marcha à sa rencontre, la compétence faite femme :

– Je suis la secrétaire de Mrs O'Nyme. Un taxi nous attend. Je vous présente Mr Lombard, ajouta-t-elle.

Les yeux d'un bleu délavé, perçants malgré leur âge, jaugèrent Lombard. L'espace d'un instant, ils exprimèrent un jugement – mais bien malin qui aurait pu le lire.

« Beau garçon. Mais avec un je-ne-sais-trop-quoi de pas net... »

Ils montèrent tous les trois dans le taxi. Ils parcoururent les rues assoupies du petit bourg d'Oakbridge et empruntèrent sur un bon kilomètre et demi la grand-route de Plymouth. Puis ils s'enfoncèrent dans la campagne, à travers un labyrinthe de chemins tortueux et verdoyants.

– Je ne connais absolument pas cette partie du Devon, déclara le général Macarthur. Moi, mon bled, c'est dans l'est du comté, à la lisière du Dorset.

– C'est ravissant, par ici, dit Vera. Ces collines, cette terre rouge – tout est si vert et luxuriant...

Philip Lombard émit une réserve :

– C'est un peu encaissé... Personnellement, je préfère les espaces découverts. Les endroits d'où on peut voir ce qui se passe...

– Vous avez pas mal bourlingué, j'imagine ? remarqua le général Macarthur.

Lombard eut un haussement d'épaules un peu dédaigneux.

– J'ai roulé ma bosse, répondit-il tout en pensant à part

lui : « Et maintenant, il va me demander si j'étais en âge de faire la guerre. Avec ces anciens combattants, ça ne rate jamais. »

Mais le général Macarthur ne parla pas de la guerre.

*

Parvenus au sommet d'une colline escarpée, ils en redescendirent par un chemin en lacet menant à Sticklehaven – minuscule agglomération de cottages avec deux ou trois bateaux de pêche tirés à sec sur la plage.

Ce fut alors qu'ils eurent leur premier aperçu de l'île du Nègre : illuminée par le soleil couchant, elle émergeait des flots au sud.

– Elle est bien loin, fit observer Vera, surprise.

Elle se l'était représentée différemment : proche du rivage et couronnée d'une somptueuse maison blanche. Hélas ! il n'y avait aucune maison en vue, rien qu'une masse rocheuse plus ou moins à pic qui se profilait sur le ciel en évoquant vaguement une gigantesque tête de nègre. Le spectacle avait quelque chose de sinistre. Vera réprima un frisson.

À la terrasse d'une petite auberge, le *Seven Stars*, trois personnes étaient installées. Il y avait là le vieux juge, silhouette voûtée, miss Brent, guindée, le buste raide, et un troisième individu – un costaud, du genre esbroufeur – qui vint vers eux et se présenta :

– On s'est dit qu'on ferait aussi bien de vous attendre. Histoire de se trouver tous dans le même bateau, ha, ha ! Permettez-moi de me présenter. Davis, je m'appelle. Ma ville natale, c'est Natal, en Afrique du Sud, ha, ha, ha !

Il partit d'un grand rire aussi cordial que tapageur.

Le juge Wargrave le fixa avec une malveillance quasi palpable. Il semblait avoir très envie d'ordonner qu'on évacue la salle d'audience. Quant à miss Emily Brent, elle était manifestement en train de se demander si elle n'exécrait pas, au fond, les coloniaux dans leur ensemble.

– Quelqu'un veut un petit verre avant d'embarquer ?

demanda Mr Davis, histoire de mettre tout le monde à l'aise.

Comme personne ne sautait sur sa proposition, Mr Davis se retourna, l'index levé :

— Dans ce cas, ne tardons pas. Notre bon hôte et notre aimable hôtesse doivent nous attendre.

Il aurait pu déceler un étrange malaise chez les autres membres du groupe. Comme si le simple fait de mentionner leurs hôtes avait sur eux un effet paralysant.

En réponse au doigt levé de Davis, un homme se détacha du mur contre lequel il était adossé et vint vers eux. Sa démarche chaloupée trahissait le marin. Il avait le visage hâlé par le grand large et l'œil noir et quelque peu fuyant.

— Vous êtes prêts à partir pour l'île, m'sieurs-dames ? demanda-t-il de sa voix teintée du doux accent du Devon. Le bateau est paré. Il y a encore deux autres messieurs qui doivent arriver en voiture, mais on ne sait pas à quelle heure au juste, alors Mr O'Nyme a décidé comme ça qu'on les attendrait pas.

Les invités se levèrent. Leur guide les conduisit sur une petite jetée de pierre. Un canot à moteur y était amarré.

— Il est bien petit, ce bateau, grinça Emily Brent.

— C'est un bon bateau, m'dame. Il vous emmènerait à Plymouth en un rien de temps, riposta son propriétaire d'un ton persuasif.

— Nous sommes nombreux, fit observer sèchement le juge Wargrave.

— Je pourrais en embarquer deux fois autant, m'sieur.

De sa voix plaisante, Philip Lombard intervint :

— Ça ira très bien. Grand beau temps... pas de houle.

Guère convaincue, miss Brent se laissa néanmoins aider et monta à bord. Les autres suivirent le mouvement. Les invités ne fraternisaient pas encore. Ils avaient tous l'air intrigués les uns par les autres.

Ils s'apprêtaient à larguer les amarres quand leur guide interrompit sa manœuvre, gaffe en main.

Une voiture dévalait le raidillon menant au village. Une

voiture d'une si incroyable puissance, d'une si phénoménale beauté qu'elle avait tout d'une apparition. Un jeune homme était au volant, cheveux flottant dans le vent. Dans l'éclatante lumière de l'après-midi, il avait l'air non pas d'un homme mais d'un jeune dieu, un dieu héroïque issu de quelque légende nordique.

Il donna un coup de klaxon – rugissement formidable que les rochers de la baie renvoyèrent en écho.

Ce fut un instant inouï. Un instant pendant lequel Anthony Marston parut transcender le simple mortel. Par la suite, plus d'une des personnes présentes devait se remémorer ce moment-là.

*

Assis près du moteur, Fred Narracott se disait qu'il s'agissait d'une drôle d'équipe. Ce n'était pas ça l'idée qu'il s'était faite des invités de Mr O'Nyme. Il s'attendait à un peu plus de classe. À des femmes sur leur trente et un, et à des hommes en tenue de yachting – tous pleins aux as et l'air important.

Rien à voir avec les relations de Mr Elmer Robson. Un léger sourire effleura les lèvres de Fred Narracott au souvenir des amis du milliardaire. Ça, c'était des réceptions, si vous voulez que je vous dise... et qu'est-ce que ça picolait !

Ce Mr O'Nyme, ça ne devait pas être le même genre de bonhomme. Bizarre, d'ailleurs, se dit Fred, qu'il ne l'ait encore jamais aperçu... ni lui ni sa bourgeoise. N'avait pas encore mis les pieds ici, parole. Tout ce qui était commandes et factures, c'était ce Mr Morris qui s'en chargeait. Les instructions étaient toujours très claires, le paiement ne traînait pas, mais c'était quand même bizarre. D'après les journaux, il y avait comme un mystère au sujet de O'Nyme. Fred Narracott était d'accord avec eux.

Peut-être qu'après tout c'était bien miss Gabrielle Turl qui avait acheté l'île. Mais il écarta cette hypothèse en observant ses passagers. Pas ce ramassis – il n'y en avait pas un dans le lot qui ait quelque chose à voir avec une star de cinéma.

Il les passa en revue d'un œil impartial.

Une vieille fille – le style revêche... il en connaissait un tas, des comme ça. C'était une harpie, à tous les coups. Un vieux militaire – ça se voyait à son allure rantanplan. Une jeune femme pas vilaine – mais plutôt quelconque, pas un morceau de roi... rien de la magie hollywoodienne. Le joyeux drille qui faisait de l'esbroufe – *lui*, en tout cas, ça n'était pas un gars de la haute. Un commerçant retiré des affaires, voilà ce que c'est, estima Fred Narracott. L'autre bonhomme, le grand maigre à la mine famélique et au regard en coin, c'était un drôle d'oiseau. Lui, ça n'était pas impossible qu'il ait quelque chose à faire avec le cinéma.

Non, il n'y avait qu'un seul passager potable dans le canot. Le dernier type, celui qui était arrivé en voiture (et quelle voiture ! Une bagnole comme on n'en avait encore jamais vu à Sticklehaven. Ça avait dû coûter des mille et des cents, un engin pareil). Celui-là, il était bien dans la note. Né dans le fric, le beau gosse. Si tous les autres avaient été comme lui... là, d'accord, il aurait compris.

Drôle d'histoire, quand on réfléchissait deux secondes. Tout ça, c'était bizarre – très bizarre...

*

Traçant un long sillon d'écume, le canot contourna le rocher. Alors, enfin, la maison apparut. Le côté sud de l'île présentait un aspect tout différent. Il descendait en pente douce vers la mer. La maison était là, face au sud : basse, carrée, moderne, avec des fenêtres cintrées qui laissaient entrer toute la lumière.

Une maison sensationnelle – une maison à la mesure de leur attente !

Fred Narracott coupa le moteur, et le canot se faufila en douceur dans un petit goulet naturel entre les rochers.

– Ça ne doit pas être commode d'accoster ici par gros temps, fit observer Philip Lombard.

– Par vent de sud-est, il n'y a pas moyen d'aborder l'île du Nègre, répondit gaiement Fred Narracott. Il y a des fois, elle est coupée de tout pendant une semaine et plus.

« L'approvisionnement ne doit pas être facile, pensa Vera Claythorne. C'est ça le pire, sur une île. Les problèmes domestiques prennent des proportions effarantes. »

La coque du bateau grinça contre les rochers. Fred Narracott sauta à terre et, secondé par Lombard, aida les autres à descendre. Narracott amarra le canot à un anneau scellé dans le roc. Puis il leur fit gravir un escalier taillé dans la falaise.

– Ah ! Quel coin charmant ! s'exclama le général Macarthur.

Mais il se sentait mal à l'aise. Sacrément bizarre, cet endroit.

Lorsque les invités débouchèrent sur une terrasse, en haut des marches, leur moral remonta. Sur le pas de la porte les attendait un majordome impeccable dont la solennité les rassura. De plus, la maison était splendide, et superbe la vue de la terrasse...

Le majordome s'inclina légèrement. Grand, maigre, grisonnant, c'était un homme d'allure éminemment respectable.

– Si vous voulez bien me suivre..., leur dit-il.

Dans le vaste hall, des boissons les attendaient. Une kyrielle de bouteilles. Anthony Marston se rasséréna un brin. Il commençait justement à la trouver saumâtre. Personne de *son monde* ! Qu'est-ce qui avait pris à ce brave vieux Badger de l'entraîner là-dedans ? Quoi qu'il en soit, question boissons, rien à redire. Côté glaçons non plus.

Qu'est-ce qu'il racontait, le larbin ?

« Mr O'Nyme... fâcheux contretemps... ne pourrait pas arriver avant demain. Instructions... leurs moindres désirs... souhaitaient-ils monter dans leurs chambres ?... le dîner serait servi à 8 heures... »

*

Vera avait suivi Mrs Rogers à l'étage. La domestique avait ouvert tout grand une porte, au bout d'un couloir, et Vera était entrée dans une chambre ravissante, avec une grande fenêtre donnant sur la mer et une autre orientée à l'est. Elle poussa une exclamation de plaisir.

– J'espère que vous avez tout ce qu'il vous faut, mademoiselle ? dit Mrs Rogers.

Vera embrassa la pièce du regard. On avait monté et défait ses bagages. Sur le côté, une porte ouverte donnait sur une salle de bains au carrelage bleu pâle.

– Oui, tout, je crois, répondit-elle.

– Vous sonnerez si vous avez besoin de quelque chose, mademoiselle ?

Mrs Rogers parlait d'une voix blanche, monocorde. Vera la dévisagea avec curiosité. Quel spectre exsangue et blafard, cette femme ! À part ça, l'air tout ce qu'il y a de respectable, avec ses cheveux tirés en arrière et sa robe noire. Bizarres quand même, ces yeux clairs qui ne semblaient jamais en repos.

« On dirait qu'elle a peur de son ombre », pensa Vera.

Oui, c'était ça : elle avait peur !

Elle avait tout de la femme en proie à une frayeur mortelle...

Vera eut un léger frisson. De quoi diable cette femme pouvait-elle bien avoir peur ?

– Je suis la nouvelle secrétaire de Mrs O'Nyme, lui confia-t-elle, aimable. Vous devez être au courant.

– Non, mademoiselle, je ne suis au courant de rien, répondit Mrs Rogers. J'ai juste la liste de ces messieurs-dames avec les chambres qui leur sont destinées.

– Mrs O'Nyme ne vous a pas parlé de moi ?

Mrs Rogers battit des cils :

– Je n'ai pas vu Mrs O'Nyme – pas encore. Nous ne sommes arrivés qu'avant-hier.

« Drôles de gens, ces O'Nyme », pensa Vera.

– Combien y a-t-il de domestiques ? demanda-t-elle tout haut.

– Rien que Rogers et moi, mademoiselle.

Vera fronça les sourcils. Huit personnes à demeure – dix avec l'hôte et l'hôtesse – et seulement un couple de domestiques pour s'occuper d'eux ?

– Je suis bonne cuisinière, dit Mrs Rogers, et Rogers se débrouille avec la maison. Évidemment, je ne me doutais pas que vous seriez si nombreux.

– Vous arriverez quand même à vous en sortir ?

– Oh ! oui, mademoiselle, j'y arriverai. Et s'il doit y avoir souvent autant de monde, Mrs O'Nyme fera sans doute appel à des extra.

– Oui, sans doute, acquiesça Vera.

Mrs Rogers tourna les talons. Ses pieds glissèrent sans bruit sur le parquet. Et elle sortit de la pièce, silencieuse comme une ombre.

Vera alla s'asseoir sur la banquette, devant la fenêtre. Elle était vaguement troublée. Tout cela était... comment dire ?... un peu bizarre. L'absence des O'Nyme, la pâle et spectrale Mrs Rogers... Et les invités ! Oui, les invités étaient bizarres, eux aussi. Et curieusement mal assortis.

« J'aurais bien voulu voir les O'Nyme, se dit Vera. Je voudrais quand même savoir à quoi ils ressemblent. »

Incapable de tenir en place, elle se leva et se mit à arpenter la pièce.

Une chambre parfaite, à la décoration entièrement moderne. Tapis écrus sur un parquet comme un miroir, murs de couleur claire, long miroir encadré d'ampoules. Sur la cheminée, aucun ornement à part un énorme bloc de marbre blanc en forme d'ours, sculpture moderne dans laquelle était encastrée une pendule. Au-dessus, dans un étincelant cadre chromé, il y avait une grande feuille de parchemin. Un poème.

Vera s'approcha de la cheminée pour le lire. C'était une des vieilles comptines qui avaient bercé son enfance :

Dix petits nègres s'en furent dîner,
L'un d'eux but à s'en étrangler
— n'en resta plus que neuf.
Neuf petits nègres se couchèrent à minuit,
L'un d'eux à jamais s'endormit
— n'en resta plus que huit.
Huit petits nègres dans le Devon étaient allés,
L'un d'eux voulut y demeurer
— n'en resta plus que sept.
Sept petits nègres fendirent du petit bois,
En deux l'un se coupa ma foi
— n'en resta plus que six.
Six petits nègres rêvassaient au rucher,
Une abeille l'un d'eux a piqué
— n'en resta plus que cinq.
Cinq petits nègres étaient avocats à la cour,
L'un d'eux finit en haute cour
— n'en resta plus que quatre.
Quatre petits nègres se baignèrent au matin,
Poisson d'avril goba l'un
— n'en resta plus que trois.
Trois petits nègres s'en allèrent au zoo,
Un ours de l'un fit la peau
— n'en resta plus que deux.
Deux petits nègres se dorèrent au soleil,
L'un d'eux devint vermeil
— n'en resta donc plus qu'un.
Un petit nègre se retrouva tout esseulé,
Se pendre il s'en est allé
— n'en resta plus... du tout.

Vera sourit. Bien sûr ! On était sur l'île du Nègre !

Elle retourna s'asseoir devant la fenêtre et contempla la mer.

Qu'elle était immense, la mer ! D'ici, pas la moindre terre

à l'horizon – juste une vaste étendue d'eau bleue qui ondulait au soleil vespéral.

La mer... si paisible aujourd'hui... parfois si cruelle... La mer qui vous entraînait dans ses profondeurs. Noyé... retrouvé noyé... noyé en mer... noyé, noyé, noyé...

Non, elle ne voulait pas se souvenir... elle n'y penserait *pas* !

Tout ça, c'était du passé...

*

Le Dr Armstrong arriva à l'île du Nègre au moment précis où le soleil s'enfonçait dans la mer. Pendant la traversée, il avait bavardé avec le passeur, un homme du cru. Il mourait d'envie d'obtenir quelques renseignements sur les propriétaires de l'île, mais le dénommé Narracott semblait curieusement mal informé – ou tout au moins peu enclin aux confidences.

Le Dr Armstrong se contenta donc de parler du temps et de la pêche.

Il était fatigué après son long trajet en voiture. Il avait mal aux yeux. Quand on roulait vers l'ouest, on avait le soleil dans la figure.

Oui, il était très fatigué. La mer, le calme absolu : voilà ce qu'il lui fallait. En fait, il aurait aimé prendre de longues vacances. Mais ça, il ne pouvait pas se le permettre. Financièrement, il n'y avait bien sûr pas de problème, mais pas question de laisser tomber ses clients. De nos jours, on est vite oublié. Non, maintenant qu'il avait réussi, il ne pouvait plus dételer.

« Malgré tout, ce soir, je vais faire comme si j'étais parti pour de bon, comme si j'en avais fini avec Londres, Harley Street et le reste. »

Une île, ça avait quelque chose de magique ; le mot seul frappait l'imagination. On perdait contact avec son univers quotidien – une île, c'était un monde en soi. Un monde dont on risquait parfois – qui sait ? – de ne jamais revenir.

« Je laisse derrière moi ma vie de tous les jours », pensa-t-il.

Souriant à part lui, il entreprit de faire des projets, de grandioses projets d'avenir. Il souriait encore lorsqu'il gravit l'escalier taillé dans le roc.

Sur la terrasse, un vieux monsieur auquel le Dr Armstrong trouva un air vaguement familier était assis dans un fauteuil. Où donc avait-il déjà vu cette face de crapaud, ce cou de tortue, ces épaules voûtées – oui, et ces petits yeux pâles au regard rusé ? Ah ! oui : le vieux Wargrave. Il avait un jour témoigné devant lui. Sous son air à moitié endormi, il était retors comme ce n'est pas permis dès qu'il s'agissait d'un point de droit. Avec les jurés, il avait la manière : on le disait capable de les manipuler à sa guise et de les retourner comme un gant. Il leur avait ainsi arraché quelques condamnations douteuses. Le pourvoyeur de la potence, comme l'appelaient certains.

Drôle d'endroit pour le rencontrer... ici – loin du monde et du bruit.

*

« Armstrong ? se dit le juge Wargrave. Je me rappelle l'avoir vu à la barre des témoins. Courtois et cauteleux. Tous les médecins sont des imbéciles. Ceux de Harley Street sont les pires de tous. » Et son esprit s'attarda sans bienveillance sur une récente consultation, dans cette rue huppée, chez un de ces mielleux personnages.

À voix haute, il grogna :

– Les boissons sont dans le hall.

– Il faut d'abord que j'aille présenter mes respects au maître et à la maîtresse de maison ! se récria le Dr Armstrong.

Plus reptilien que jamais, le juge Wargrave referma les paupières.

– Vous n'y parviendrez pas, dit-il.

– Pourquoi ça ? s'étonna le Dr Armstrong.

– Parce qu'il n'y a ni maître ni maîtresse de maison, répondit le juge. La situation est pour le moins bizarre. Je ne comprends rien à cet endroit.

L'œil écarquillé, le Dr Armstrong le dévisagea une bonne minute. Alors qu'il pensait le vieillard endormi pour de bon, Wargrave reprit soudain :

– Vous connaissez Constance Culmington ?

– Euh... non, je ne pense pas.

– C'est sans importance, commenta le juge. C'est une femme très imprécise, à l'écriture pratiquement illisible. Je me demandais seulement si je ne m'étais pas trompé d'adresse.

Le Dr Armstrong secoua la tête et se dirigea vers la maison.

Le juge Wargrave songea à Constance Culmington. Écervelée, comme toutes les femmes.

Ses pensées s'orientèrent alors vers les deux femmes présentes sur les lieux, la vieille fille aux lèvres pincées et la jeune. Celle-là, il ne l'aimait pas : une petite garce sans scrupules. En fait, il y avait trois femmes si on comptait l'épouse de Rogers. Étrange créature... elle semblait morte de peur. Un couple convenable, qui connaissait son affaire.

Rogers sortant précisément sur la terrasse, le juge lui demanda :

– Savez-vous si lady Constance Culmington est attendue ?

Rogers le regarda, étonné :

– Non, monsieur, pas à ma connaissance.

Le juge haussa les sourcils. Mais il se contenta d'émettre un grognement.

« L'île du Nègre, hein ? se dit-il. En effet, on est dans le noir le plus complet. »

*

Anthony Marston était dans son bain. Il se prélassait dans l'eau fumante. Sa longue randonnée en voiture lui avait donné des crampes. Il ne pensait pas à grand-chose. Anthony était un être de sensations – et d'action.

« Trop tard pour prendre la tangente », se dit-il – après quoi il fit le vide dans son esprit.

Un bon bain chaud... membres courbatus... tout à l'heure, un coup de rasoir... un cocktail... le dîner.

Et après ça... ?

*

Mr Blore nouait sa cravate. Il n'était pas très doué pour ce genre de chose.

Est-ce qu'il présentait bien ? Il le supposait.

Personne ne s'était montré précisément cordial avec lui... Curieux la façon dont ils s'épiaient les uns les autres – comme s'ils *savaient*.

À lui de jouer, maintenant.

Il n'entendait pas bâcler son travail.

Il jeta un coup d'œil à la comptine encadrée au-dessus de la cheminée.

Futé, d'avoir mis ça là !

« Je me souviens de cette île quand j'étais gosse, se dit-il. Je n'aurais jamais cru que je viendrais faire ce genre de boulot ici. Bonne chose, tout compte fait, qu'on ne puisse pas prévoir l'avenir. »

*

Sourcils froncés, le général Macarthur réfléchissait.

Crénom de nom, la situation était bougrement bizarre ! Pas du tout ce qu'on lui avait laissé espérer...

En moins de deux, il trouverait un prétexte pour filer... il enverrait tout promener...

Mais le canot à moteur avait regagné la côte.

Il serait obligé de rester.

Drôle de type, ce Lombard. Pas régulier. Non, pas régulier, le bonhomme, il en aurait juré.

*

Au coup de gong, Philip Lombard sortit de sa chambre et se dirigea vers l'escalier. Il se déplaçait comme une panthère, sans bruit, avec souplesse. D'ailleurs, il avait quelque chose de la panthère. Une bête fauve... belle à regarder.

Il souriait dans sa moustache.

Une semaine, hein ?

Il allait en profiter, de cette semaine-là.

*

Vêtue d'une robe de faille noire, Emily Brent lisait sa Bible dans sa chambre en attendant le dîner.

Elle remuait les lèvres tout en suivant son texte :

« *Les païens sont précipités dans la fosse qu'ils ont eux-mêmes creusée ; au filet qu'ils ont eux-mêmes tendu ils se prennent le pied. Yahvé s'est fait connaître. Il a rendu le jugement. Il a lié l'impie dans l'ouvrage de ses mains. L'impie sera livré à la géhenne éternelle.* »

Ses lèvres se pincèrent. Elle ferma la Bible.

Se levant, elle agrafa à son col une broche ornée d'un quartz jaune et descendit dans la salle à manger.

3

Le dîner touchait à sa fin.

La nourriture avait été bonne, le vin parfait, le service bien fait par Rogers.

Chacun se sentait meilleur moral. On commençait à se parler avec davantage de liberté et de familiarité.

Émoustillé par un porto somptueux, le juge Wargrave les amusait par son esprit caustique. Le Dr Armstrong et Tony

Marston l'écoutaient. Miss Brent bavardait avec le général Macarthur : ils s'étaient découvert des amis communs. Vera Claythorne posait à Mr Davis des questions pas sottes du tout sur l'Afrique du Sud. Mr Davis était intarissable sur le sujet. Lombard écoutait leur conversation. Il levait parfois la tête, l'œil en éveil. Et de temps à autre, son regard faisait le tour de la table, observant les autres.

Soudain, Anthony Marston s'exclama :

– Marrants, ces machins, vous ne trouvez pas ?

Au centre de la table ronde, de petites statuettes en porcelaine étaient disposées sur un socle circulaire en verre.

– Des nègres, poursuivit Tony. L'île du Nègre... C'est ça l'idée, je suppose.

Vera se pencha en avant :

– Je me le demande. Combien y en a-t-il ? Dix ?... Ce que c'est drôle ! s'écria-t-elle. Ce sont sans doute les dix petits nègres de la comptine. Dans ma chambre, elle est accrochée dans un cadre au-dessus de la cheminée.

– Dans la mienne aussi, dit Lombard.

– Et dans la mienne !

– Et dans la mienne !

Tout le monde fit chorus.

– C'est une idée amusante, non ? dit Vera.

– Remarquablement puérile, grommela le juge Wargrave en se resservant de porto.

Emily Brent regarda Vera Claythorne. Vera Claythorne regarda Emily Brent. Les deux femmes se levèrent.

Dans le salon, par les portes-fenêtres ouvertes sur la terrasse, le clapotis des vagues venues mourir sur les brisants parvenait jusqu'à elles.

– Tellement reposant, ce bruit, murmura Emily Brent.

– Moi, je l'ai en horreur ! riposta Vera d'un ton cassant.

Surprise, miss Brent la dévisagea. Vera rougit. D'un ton plus posé, elle reprit :

– Cette île ne doit pas être très agréable les jours de tempête.

Emily Brent en convint.

– La maison est sûrement fermée en hiver, dit-elle. Ne serait-ce que parce qu'aucun domestique n'accepterait d'y rester.

– De toute façon, maugréa Vera, des domestiques, ça ne doit pas être facile d'en trouver.

– Mrs Oliver a eu la main heureuse avec ce couple, dit Emily Brent. La femme cuisine très bien.

« C'est drôle comme les personnes d'un certain âge sont incapables de se rappeler les noms », pensa Vera.

– Oui, dit-elle, Mrs O'Nyme a eu beaucoup de chance, en effet.

Emily Brent avait sorti de son sac un petit ouvrage de broderie. Elle allait enfiler son aiguille quand elle demanda vivement :

– O'Nyme ? Vous avez bien dit O'Nyme ?

– Oui.

– C'est la première fois de ma vie que j'entends ce nom-là, déclara Emily Brent, catégorique.

Vera ouvrit de grands yeux :

– Mais pourtant...

Elle n'acheva pas sa phrase. La porte s'ouvrait : les hommes venaient les rejoindre. Rogers fermait la marche avec le plateau du café.

Le juge vint s'asseoir à côté d'Emily Brent. Armstrong s'approcha de Vera. Tony Marston se dirigea vers la fenêtre ouverte. Blore examina avec une naïve perplexité une statuette en bronze, se demandant sans doute si ces étranges formes angulaires étaient vraiment censées représenter un corps féminin. Le général Macarthur s'adossa à la cheminée. Il tiraillait sa petite moustache blanche. Le dîner avait été sacrément bon. Son moral était au beau fixe. Lombard feuilletait un numéro de *Punch* qui traînait sur la table, avec d'autres journaux.

Rogers servit le café à la ronde. Il était bon : très noir et bien chaud.

Ils avaient tous bien dîné. Ils étaient satisfaits

d'eux-mêmes et de la vie. Les aiguilles de la pendule indiquaient 9 h 20. Il se fit un silence – un silence béat, comblé.

Et c'est dans ce silence que s'éleva la Voix. Sans avertissement. Inhumaine. Pénétrante...

– *Mesdames, et messieurs ! Silence, je vous prie !*

Tout le monde sursauta. Ils regardèrent autour d'eux... se regardèrent... regardèrent les murs. Qui parlait ?

Haute et claire, la Voix poursuivit :

– *Vous êtes accusés des crimes suivants :*

» *Edward George Armstrong, d'avoir causé la mort, le 14 mars 1925, de Louisa Mary Clees.*

» *Emily Caroline Brent, d'être responsable de la mort, le 5 novembre 1931, de Beatrice Taylor.*

» *William Henry Blore, d'avoir entraîné la mort de James Stephen Landor, le 10 octobre 1928.*

» *Vera Elizabeth Claythorne, d'avoir assassiné, le 11 août 1935, Cyril Ogilvie Hamilton.*

» *Philip Lombard, d'avoir entraîné la mort, en février 1932, de vingt et un hommes appartenant à une tribu d'Afrique orientale.*

» *John Gordon Macarthur, d'avoir délibérément envoyé à la mort, le 14 janvier 1917, l'amant de votre femme, Arthur Richmond.*

» *Anthony James Marston, d'avoir tué, le 14 novembre dernier, John et Lucy Combes.*

» *Thomas Rogers et Ethel Rogers, d'avoir provoqué la mort, le 6 mai 1929, de Jennifer Brady.*

» *Lawrence John Wargrave, d'avoir, le 10 juin 1930, perpétré le meurtre d'Edward Seton.*

» *Accusés, avez-vous quelque chose à dire pour votre défense ?*

*

La voix s'était tue.

Il y eut un moment de silence pétrifié, suivi d'un fracas épouvantable. Rogers avait laissé choir le plateau du café.

Au même instant, à l'extérieur de la pièce, un cri retentit, suivi d'un bruit sourd.

Lombard fut le premier à réagir. Il bondit jusqu'à la porte et l'ouvrit à la volée. Dans le hall, recroquevillée par terre, gisait Mrs Rogers.

Lombard appela :

– Marston !

Anthony se précipita lui prêter main-forte. À eux deux, ils soulevèrent la domestique et la transportèrent dans le salon.

Le Dr Armstrong se joignit à eux. Il les aida à l'allonger sur le divan et se pencha sur elle.

– Ce n'est rien, dit-il. Elle s'est évanouie, c'est tout. Elle va revenir à elle dans deux secondes.

– Allez chercher du cognac, dit Lombard à Rogers.

Pâle, les mains tremblantes, Rogers sortit aussitôt en murmurant :

– Oui, monsieur.

– *Qui est-ce qui parlait* ? s'écria Vera. Où était-*il* ? On aurait dit... on aurait dit...

– Qu'est-ce qui se passe ? bredouilla le général Macarthur. Qu'est-ce que c'est que ce canular ?

Ses mains tremblaient. Ses épaules étaient affaissées. Il avait soudain vieilli de dix ans.

Blore se tamponnait la figure avec un mouchoir.

Seuls le juge Wargrave et miss Brent paraissaient relativement calmes. Emily Brent était piquée, très droite, sur son siège. Elle gardait la tête haute. Une tache de couleur empourprait ses joues. Le juge était assis dans sa posture habituelle, la tête enfoncée dans le cou. D'une main, il se grattait délicatement l'oreille. Seul son regard était en alerte. Ses yeux pétillants d'intelligence se portaient de droite et de gauche avec perplexité.

Cette fois encore, ce fut Lombard qui passa à l'action. Armstrong étant occupé avec la domestique évanouie, Lombard pouvait une fois de plus prendre l'initiative.

– Cette *voix* ? dit-il. On aurait juré qu'elle était dans la pièce.

– *Qui* était-ce ? s'écria encore Vera. *Qui* était-ce ? Ce n'était aucun d'entre nous.

Tout comme le juge, Lombard parcourut lentement la pièce du regard. Ses yeux s'arrêtèrent un instant sur la fenêtre ouverte, mais il secoua la tête. Soudain, une lueur s'alluma dans ses prunelles. Il se précipita vers une porte qui se trouvait près de la cheminée.

D'un geste vif, il en saisit la poignée et l'ouvrit toute grande. Il passa dans la pièce voisine et poussa aussitôt une exclamation satisfaite :

– Ah ! c'était donc *ça* !

Les autres se massèrent derrière lui. Seule miss Brent resta dans son fauteuil, droite comme un *i*.

Dans la seconde pièce, une table avait été disposée contre le mur mitoyen au salon. Sur la table se trouvait un gramophone – un modèle ancien, doté d'un large pavillon dont l'ouverture était appliquée contre le mur. Écartant l'appareil, Lombard montra du doigt deux ou trois petits trous presque invisibles percés dans la cloison.

Remettant le gramophone en place, il posa l'aiguille sur le disque. Aussitôt, ils entendirent de nouveau : « *Vous êtes accusés des crimes suivants...* »

– Arrêtez ça ! Arrêtez ça ! C'est horrible ! s'écria Vera.

Lombard obéit.

– Une farce cruelle et d'un goût douteux, voilà ce que c'était, murmura le Dr Armstrong avec un soupir de soulagement.

– Ainsi, vous pensez qu'il s'agit d'une plaisanterie ? susurra le juge Wargrave de sa petite voix flûtée.

Le médecin le foudroya du regard :

– Que voulez-vous que ce soit ?

Le juge se tapota la lèvre supérieure :

– Pour le moment, je ne suis pas en mesure d'émettre une opinion.

– Dites donc, intervint Anthony Marston, vous oubliez un truc. Qui diable a mis cet engin en marche ?

– C'est vrai, murmura Wargrave, il faut que nous tirions ça au clair.

Suivi des autres, il regagna le salon.

Rogers venait d'apporter un verre de cognac. Miss Brent était penchée sur Mrs Rogers qui gémissait.

Adroitement, Rogers se faufila entre les deux femmes :

– Si vous le permettez, madame, je vais lui parler. Ethel... Ethel... tout va bien. Tout va bien, tu m'entends ? Reprends-toi.

Mrs Rogers avait la respiration précipitée, saccadée. Ses yeux – des yeux épouvantés, au regard fixe – faisaient le tour des visages qui l'entouraient. La voix de Rogers se fit pressante :

– Reprends-toi, Ethel.

Le Dr Armstrong s'adressa à elle d'un ton apaisant :

– C'est fini, Mrs Rogers. Un simple malaise.

– Je me suis évanouie, monsieur ? demanda-t-elle.

– Oui.

– C'est cette voix... cette voix abominable... *comme une sentence*...

De nouveau, son visage verdit, ses paupières battirent.

– Où est le cognac ? s'empressa le Dr Armstrong.

Rogers avait posé le verre sur une petite table. Quelqu'un le tendit au médecin, qui se pencha sur la femme haletante :

– Buvez ça, Mrs Rogers.

Elle s'étrangla un peu, hoqueta. L'alcool lui fit du bien. Elle reprit des couleurs :

– Je me sens mieux, maintenant. Sur le moment, ça... ça m'avait toute retournée.

– Il y avait de quoi, dit précipitamment Rogers. Moi aussi, ça m'a retourné. Même que j'en ai lâché mon plateau. Rien que des mensonges, voilà ce que c'était ! Je voudrais bien savoir...

Un bruit l'interrompit. Ce n'était qu'un toussotement, un petit toussotement discret mais qui eut pour effet de le stopper en plein élan. Il dévisagea le juge Wargrave, qui se racla de nouveau la gorge.

— Qui a posé ce disque sur le gramophone ? demanda le magistrat. C'est vous, Rogers ?

— Je ne savais pas ce que c'était ! s'écria le domestique. Parole d'honneur, je ne savais pas ce que c'était, monsieur. Sinon, je ne l'aurais jamais fait.

— C'est sans doute vrai, admit sèchement le juge. Mais vous feriez quand même bien de vous expliquer, Rogers.

Le majordome s'épongea le visage avec son mouchoir :

— J'ai juste obéi aux ordres, monsieur, c'est tout.

— Aux ordres de qui ?

— De Mr O'Nyme.

— Soyons clairs, décréta le juge Wargrave. Quels étaient exactement les ordres de Mr O'Nyme ?

— Je devais poser un disque sur le gramophone. Le disque se trouverait dans le tiroir de la table et ma femme devait mettre l'appareil en marche au moment où j'entrerais dans le salon avec le plateau du café.

— Voilà une histoire bien extraordinaire, marmonna le juge.

— C'est la vérité, monsieur, s'écria Rogers. Je jure devant Dieu que c'est la vérité ! Je ne savais pas de quoi il retournait – absolument pas. Il y avait un nom sur le disque... J'ai cru que c'était un simple morceau de musique.

Wargrave interrogea Lombard du regard :

— Il y avait un titre sur le disque ?

Lombard acquiesça. Il eut un sourire subit qui découvrit ses dents blanches de carnassier :

— En effet, monsieur. Il s'intitulait *Le Chant du cygne*...

*

— Toute cette histoire est absurde ! s'emporta brusquement le général Macarthur. Absurde ! Balancer des accusations pareilles ! Il faut faire quelque chose. Qui que soit cet O'Nyme...

Emily Brent l'interrompit d'un ton bref :

— C'est précisément là toute la question. *Qui est-ce* ?

Le juge intervint. Il prit la parole avec l'autorité que confère une existence entière passée à rendre la justice :

— C'est ce que nous devons nous employer à découvrir. Je vous suggère d'aller d'abord mettre votre femme au lit, Rogers. Ensuite, vous viendrez nous rejoindre ici.

— Bien, monsieur.

— Je vais vous donner un coup de main, Rogers, dit le Dr Armstrong.

Soutenue par les deux hommes, Mrs Rogers partit en chancelant.

— Je ne sais ce que vous en pensez, déclara Tony Marston une fois la porte refermée, mais je prendrais bien un verre.

— Moi aussi, approuva Lombard.

— Je vais voir ce que je peux dénicher, dit Tony.

Il s'éclipsa et revint quelques secondes plus tard, croulant sous le poids d'un plateau garni de bouteilles et de verres :

— J'ai trouvé le tout qui m'attendait, dans le hall, comme par hasard.

Il posa son fardeau avec précaution. Les minutes qui suivirent furent consacrées à servir à boire. Le général Macarthur prit un whisky bien tassé, le juge en fit autant. Ils avaient tous besoin d'un remontant. Seule Emily Brent réclama et obtint un verre d'eau.

Le Dr Armstrong ne tarda pas à revenir :

— Elle va bien. Je lui ai donné un sédatif. Qu'est-ce que c'est que ça ? On prend un verre ? Eh bien je ne dis pas non.

Les hommes se resservirent pour la plupart.

Quelques instants plus tard, Rogers réapparut.

Le juge Wargrave prit les opérations en main. Le salon se transforma en salle d'audience improvisée.

— À présent, Rogers, décréta le juge, il s'agit d'aller au fond des choses. Qui est Mr O'Nyme ?

Rogers le regarda, interloqué :

— Mais... le propriétaire de cette maison, monsieur.

– J'entends bien. Ce que je vous demande, c'est ce que vous savez de lui.

Rogers secoua la tête :

– Je ne sais pas trop quoi vous dire, monsieur. Je ne l'ai jamais vu.

Un léger frémissement parcourut l'assistance.

– Comment ça, vous ne l'avez jamais vu ? tonna le général Macarthur. Qu'est-ce que vous nous chantez là ?

– Nous ne sommes même pas en fonction ici depuis une semaine, ma femme et moi, monsieur. Nous avons été embauchés par courrier, par l'intermédiaire d'une agence. L'Agence *Regina*, à Plymouth.

Blore acquiesça :

– Une firme qui a pignon sur rue depuis belle lurette, je connais.

– Ce courrier, vous l'avez gardé ? s'enquit Wargrave.

– La lettre de notre employeur ? Non, monsieur. Je ne l'ai pas conservée.

– Poursuivez votre histoire. Vous avez donc été engagés, dites-vous, par courrier...

– Oui, monsieur. On devait arriver à une date bien précise. On a fait comme on nous disait. On a trouvé tout bien en ordre. Des provisions en veux-tu en voilà, rien à redire à rien. Il y avait juste besoin d'un coup de balai.

– Et ensuite ?

– Rien, monsieur. On a reçu des ordres – toujours par correspondance – comme quoi il fallait préparer les chambres pour tout un groupe d'invités. Et puis hier, par le courrier de l'après-midi, nouvelle lettre de Mr O'Nyme : sa femme et lui étaient retenus, à nous de faire au mieux – et il nous donnait des instructions pour le dîner et le café, et nous demandait de mettre le disque sur le gramophone.

– Cette lettre, vous l'avez encore ? bondit le juge.

– Oui, monsieur, je l'ai sur moi.

Il la sortit de sa poche. Le juge s'en empara.

– Hum ! fit-il. À l'en-tête du *Ritz* et tapée à la machine.

– Vous permettez ? dit Blore en la lui prenant des mains.

Après l'avoir parcourue, il murmura :

— Machine *Coronation*. Neuve... aucun défaut dans les caractères. Papier de la marque la plus répandue. Vous ne tirerez rien de cette lettre. Possible qu'il y ait des empreintes, mais ça m'étonnerait.

Wargrave le dévisagea avec une attention subite.

— Il a des prénoms très sophistiqués, vous ne trouvez pas ? fit remarquer Anthony Marston qui regardait par-dessus l'épaule de Blore. Algernon Norman O'Nyme... On en a plein la bouche.

Le vieux juge tressaillit.

— Je vous suis très reconnaissant, Mr Marston, dit-il. Vous venez d'attirer mon attention sur un détail curieux et révélateur.

Il regarda les autres tour à tour, allongea le cou comme une tortue en colère et reprit :

— Le moment me semble venu de mettre en commun nos informations. Il serait bon que chacun fournisse les renseignements dont il dispose sur les propriétaires de cette maison... Nous sommes tous leurs invités. Il serait intéressant de savoir au juste, pour chacun d'entre nous, à quel titre.

Un silence s'ensuivit. Puis Emily Brent prit la parole d'un ton résolu :

— Il y a quelque chose de très insolite dans tout ceci. J'ai reçu une lettre dont la signature n'était pas très lisible. Elle émanait apparemment d'une femme que j'avais rencontrée dans une station estivale voici deux ou trois ans. J'ai pensé que le nom en question était O'Neary ou Oliver. Je connais en effet une Mrs Oliver ainsi qu'une miss O'Neary. Je suis bien certaine, en revanche, de n'avoir jamais rencontré une quelconque Mrs O'Nyme et encore moins d'avoir pu sympathiser avec elle.

— Vous avez cette lettre, miss Brent ? demanda le juge Wargrave.

— Oui, je monte vous la chercher.

Elle revint une minute plus tard avec la lettre.

– Je commence à comprendre..., déclara le juge après l'avoir lue. Miss Claythorne ?

Vera expliqua dans quelles conditions elle avait obtenu son poste de secrétaire.

– Marston ? demanda ensuite le juge.

– J'ai reçu un télégramme, répondit Anthony. Ça venait d'un copain. Badger Berkeley. Ça m'a étonné sur le moment, car j'avais dans l'idée que cette vieille cloche glandouillait en Norvège. Il me disait de me pointer ici.

Wargrave hocha la tête et poursuivit :

– Dr Armstrong ?

– J'ai été appelé à titre professionnel.

– Je vois. Vous ne connaissiez pas la famille auparavant ?

– Non. Mais la lettre faisait allusion à un de mes confrères.

– Oui, pour la vraisemblance..., conjectura le juge. Et je présume que le confrère en question était provisoirement impossible à joindre ?

– Eh bien... euh... oui.

Lombard, qui observait Blore depuis un moment, intervint brusquement :

– Dites donc, je pense à quelque chose...

Le juge leva la main :

– Tout à l'heure.

– Mais je...

– Chaque chose en son temps, Mr Lombard. Pour l'instant, nous déterminons les causes qui nous ont réunis ici ce soir. Général Macarthur ?

Tiraillant sa moustache, le général marmonna :

– J'ai reçu une lettre... de cet O'Nyme... disant que d'anciens camarades à moi seraient là... s'excusant de cette invitation au pied levé. Je n'ai hélas ! pas gardé la lettre.

– Mr Lombard ? reprit Wargrave.

Le cerveau de Lombard avait fonctionné à plein régime. Devait-il ou non jouer cartes sur table ? Il se décida :

– Même chose pour moi, dit-il. Invitation, allusion à des

amis communs... je suis bel et bien tombé dans le panneau. La lettre, je l'ai déchirée.

Le juge Wargrave passa à Mr Blore. De l'index, il se tapotait la lèvre supérieure et, lorsqu'il parla, ce fut avec une politesse qui ne présageait rien de bon :

— Nous venons de vivre une expérience assez troublante. Une voix apparemment désincarnée nous a tous appelés par nos noms et a porté contre nous des accusations précises. Nous reviendrons sur ces accusations dans un instant. Pour le moment, ce qui m'intéresse, c'est un point de moindre importance. Parmi les noms cités, il y avait celui de William Henry Blore. Or, à notre connaissance, il n'y a pas de Blore parmi nous. En revanche, le nom de Davis n'a pas été mentionné. Comment expliquez-vous cela, Mr Davis ?

— Le pot aux roses est comme qui dirait découvert, grommela Blore d'un ton maussade. Autant vous avouer que je ne m'appelle pas Davis.

— Vous êtes William Henry Blore ?

— Exact.

— J'ai quelque chose à ajouter, intervint Lombard. Non seulement vous êtes ici sous un faux nom, Mr Blore, mais j'ai constaté ce soir que vous étiez par-dessus le marché un menteur de première. Vous prétendez débarquer de Natal, Afrique du Sud. Or je connais l'Afrique du Sud, je connais Natal, et je suis prêt à parier que jamais au grand jamais vous n'y avez mis les pieds.

Tous les regards étaient braqués sur Blore. Des regards furieux, soupçonneux. Anthony Marston fit un pas vers lui, les poings noués.

— Alors, espèce de salopard ? gronda-t-il. Vous avez quelque chose à répondre à ça ?

Blore rejeta la tête en arrière, mâchoires serrées :

— Vous vous trompez sur mon compte, messieurs. Regardez, voici mes papiers. Je suis un ancien policier du C.I.D. Je dirige une agence de détectives privés à Plymouth. J'ai été engagé pour ce job.

— Par qui ? demanda le juge Wargrave.

– Par le dénommé O'Nyme. Il m'a envoyé une somme rondelette pour mes frais en m'expliquant ce qu'il attendait de moi. Je devais me joindre à vous en me faisant passer pour un invité. Il me donnait le nom de chacun d'entre vous. J'étais chargé de vous surveiller.

– La raison invoquée ?

– Les bijoux de Mrs O'Nyme, ricana Blore. Mrs O'Nyme, mon œil ! Je ne crois pas qu'elle existe, cette souris-là.

Le juge se tapota de nouveau la lèvre – d'un air songeur, cette fois.

– Votre conclusion me paraît juste, dit-il. Algernon Norman O'Nyme ! Dans la lettre de miss Brent, bien que la signature soit un gribouillis, les prénoms sont relativement lisibles : Alvina Nancy ... Dans les deux cas, les mêmes initiales. Algernon Norman O'Nyme... Alvina Nancy O'Nyme... autrement dit, à chaque fois : A.N. O'Nyme. Autrement dit encore : ANONYME !

– Mais c'est inimaginable ! s'écria Vera. C'est... c'est complètement fou !

Le juge hocha doucement la tête :

– Eh oui ! Il ne fait pour moi aucun doute que nous avons été invités ici par un fou – probablement un dangereux maniaque homicide.

4

Il y eut un silence. Un silence stupéfait, consterné. Puis, de sa petite voix nette, le juge reprit le fil de son discours :

– Nous allons maintenant passer à l'étape suivante de notre enquête. Mais auparavant, je vais ajouter mon propre tribut à la liste.

Il sortit une enveloppe de sa poche et la jeta sur la table :

– Cette lettre est censée m'avoir été envoyée par une de

mes vieilles amies, lady Constance Culmington. Je ne l'ai pas revue depuis des années. Elle est partie pour l'Orient. C'est une lettre confuse et incohérente, tout à fait dans son style ; elle me presse de la rejoindre ici et parle de ses hôtes dans les termes les plus vagues. Toujours la même technique, vous le voyez. Si je souligne cette concordance, c'est parce qu'il en ressort un point extrêmement intéressant. *Quel qu'il soit, l'individu qui nous a attirés ici en sait long – ou s'est donné du mal pour en savoir long – sur notre compte à tous.* Il est au courant de mon amitié pour lady Constance et n'ignore rien de son style épistolaire. Il connaît de nom certains confrères du Dr Armstrong et il est au courant de leurs allées et venues. Il connaît le sobriquet de l'ami de Mr Marston et sait quel genre de télégramme il envoie. Il sait précisément où miss Brent a passé ses vacances il y a deux ans et quel genre de gens elle y a rencontré. Enfin, il sait tout des vieux camarades du général Macarthur.

Il marqua un temps avant de poursuivre :

– *Comme vous le voyez, il en sait long.* Et à partir de ce qu'il sait sur notre compte, il a formulé des accusations précises.

Ce fut aussitôt un tollé général.

– Un tissu de mensonges ! Des calomnies ! tonna Macarthur.

– C'est inique ! s'étrangla Vera. Odieux !

– C'est un mensonge ! fit Rogers d'une voix âpre. Un sale mensonge... Nous n'avons jamais – ni l'un ni l'autre...

– Je me demande où ce taré veut en venir ! gronda Anthony Marston.

Le juge Wargrave leva la main pour apaiser le tumulte.

– Je tiens à vous dire ceci, déclara-t-il en choisissant ses mots avec soin. Notre ami *anonyme* m'accuse du meurtre d'un certain Edward Seton. Je me souviens parfaitement de Seton. Il a comparu devant moi en juin 1930. Il était accusé d'avoir tué une vieille dame. Il avait été très bien défendu et avait fait bonne impression sur le jury. Néanmoins, nous avions toutes les preuves de sa culpabilité. J'ai donc conclu en ce sens, et le jury l'a déclaré coupable. En prononçant sa condamnation à mort, je n'ai fait qu'entériner le verdict. On a fait appel du jugement, au prétexte que le jury avait été induit en erreur. L'appel a été rejeté et l'homme dûment exécuté. Je tiens à vous dire que j'ai la conscience parfaitement tranquille en la matière. Je n'ai fait que mon devoir. J'ai fait condamner un homme justement convaincu de meurtre.

Armstrong s'en souvenait, maintenant. L'affaire Seton ! Le verdict était tombé à la stupeur générale. Un soir, pendant le procès, il avait rencontré Matthews, l'avocat de la défense, au restaurant. Matthews s'était montré confiant : « Le verdict ne fait aucun doute. L'acquittement est pratiquement acquis. » Par la suite, Armstrong avait entendu quelques commentaires : « Le juge était à fond contre Seton. Il a retourné le jury comme une crêpe, et ils l'ont déclaré coupable. En toute légalité, notez bien. Ce n'est pas au vieux Wargrave qu'on va donner des leçons de procédure pénale. On aurait dit qu'il lui en voulait personnellement. »

Ces souvenirs avaient défilé à toute allure dans l'esprit du médecin. Impulsivement, sans se préoccuper de savoir s'il était bien sage de poser cette question, il demanda :

– Connaissiez-vous un tant soit peu Seton ? Avant le procès, j'entends ?

Les yeux aux lourdes paupières de reptile croisèrent les siens.

– Avant le procès, répondit le juge d'une voix froide comme un couperet, je n'avais jamais entendu parler de Seton.

« Le bonhomme ment, songea Armstrong à part lui. Je suis sûr qu'il ment. »

*

Vera Claythorne prit la parole d'une voix tremblante :

– Je voudrais vous dire... à propos de cet enfant... Cyril Hamilton. J'étais sa gouvernante. On lui avait interdit de nager loin. Un jour, il a profité d'un moment où j'étais distraite pour s'aventurer au large. Je l'ai poursuivi à la nage aussi vite que j'ai pu... je n'ai pas réussi à le rattraper à temps... Ç'a été horrible... mais ce n'était pas ma faute. À l'enquête, le coroner m'a disculpée. Et sa mère... elle a été si bonne avec moi. Puisque même *elle*, elle ne m'a pas condamnée. Pourquoi... pourquoi faut-il qu'on raconte des choses aussi abominables ? Ce n'est pas juste... pas juste...

Elle s'effondra en sanglotant.

Le général Macarthur lui tapota l'épaule :

– Là, là, mon petit. Bien sûr que ce n'est pas vrai. Ce type est un fou. Un véritable fou ! Il a une araignée au plafond ! Il raconte n'importe quoi.

Il redressa le buste et carra les épaules.

– Dans des cas pareils, aboya-t-il, mieux vaut ne pas répondre ! N'empêche que je tiens à décréter qu'il n'y a rien de vrai dans ce qu'on a raconté au sujet de... euh... de ce jeunot d'Arthur Richmond. Richmond était un de mes officiers. Je l'ai envoyé en reconnaissance. Il s'est fait tuer. Rien de plus banal en temps de guerre. Et je suis outré de... de l'affront fait à ma femme. La plus fidèle des épouses. Insoupçonnable !

Le général Macarthur s'assit. Il se mit à tripoter sa moustache d'une main tremblante. Parler lui avait coûté un gros effort.

Lombard prit la suite, une lueur amusée dans le regard :

– À propos de ces indigènes...

– Eh bien quoi ? s'impatienta Marston.

Philip Lombard eut un grand sourire :

– C'est tout ce qu'il y a d'exact ! Je les ai abandonnés ! Question de survie. Nous étions perdus dans la brousse. Avec deux autres gars, nous avons pris ce qui restait de nourriture et nous avons filé.

– Vous avez abandonné vos hommes... quitte à les laisser mourir de faim ? fit le général Macarthur avec sévérité.

– Ce n'est pas digne d'un *pukka sahib*, j'en conviens, répliqua Lombard. Mais le premier devoir d'un homme, c'est sa propre survie. Et puis, vous savez, les indigènes ne craignent pas la mort. Ils ne la voient pas comme les Européens.

Vera ôta les mains de son visage. Les yeux rivés sur Lombard, elle répéta :

— Vous les avez laissés... *mourir* ?

— Je les ai laissés mourir, répondit Lombard en plongeant son regard amusé dans les yeux horrifiés de la jeune femme.

— J'y pense tout d'un coup..., murmura lentement Anthony Marston, perplexe. John et Lucy Combes... Ça doit être ces deux gosses que j'ai renversés près de Cambridge. Vous parlez d'une déveine !

— Pour eux ou pour vous ? glissa le juge Wargrave, acide.

— Ma foi, j'étais en train de me dire que ça n'était pas de veine pour moi... mais vous avez peut-être raison, ils n'ont pas vraiment eu de pot non plus. Remarquez, ce n'était qu'un simple accident. Ils sont sortis brusquement d'une maison ou de je ne sais où. Ça m'a valu un an de suspension de permis. Vous parlez d'une poisse !

— La vitesse, c'est un fléau... un véritable fléau ! s'emporta le Dr Armstrong. Les gens comme vous sont un danger public !

Anthony haussa les épaules :

— La vitesse est dans les mœurs. Ce qui cloche, ce sont les routes anglaises. Rien à faire pour y tenir une moyenne raisonnable.

Il chercha son verre d'un œil vague, le prit et alla se servir un autre whisky-soda.

— En tout cas, ce n'était pas ma faute, lança-t-il par-dessus son épaule. Ce n'était rien qu'un accident !

*

Depuis un moment, Rogers, le majordome, se passait la langue sur les lèvres et se tordait les mains. D'un ton plein de déférence, il murmura :

— Pourrais-je dire un mot, monsieur ?

– Allez-y, Rogers, répondit Lombard.

Le majordome s'éclaircit la gorge et humecta à nouveau ses lèvres sèches :

– On a parlé de moi et de Mrs Rogers, monsieur. Et de miss Brady. Il n'y a pas un mot de vrai là-dedans, monsieur. Ma femme et moi, on est restés avec miss Brady jusqu'à sa mort. Elle avait toujours été mal portante, monsieur, déjà au tout début que nous sommes entrés à son service. Il y avait un orage, cette nuit-là, monsieur... la nuit où elle a eu son malaise. Le téléphone était en dérangement. On ne pouvait pas appeler le médecin, alors je suis parti le chercher à pied, monsieur. Mais quand il est arrivé, il était trop tard. Nous avons fait l'impossible pour elle, monsieur. Nous lui étions dévoués, ça oui. Tout le monde vous dira la même chose. Personne n'a jamais dit un mot contre nous. Personne.

Pensif, Lombard regardait le majordome, son visage ravagé de tics, ses lèvres sèches, ses yeux remplis d'effroi. Il se remémorait la chute du plateau de café. « Ah ouais ? » ricana-t-il intérieurement – mais il ne souffla mot.

Blore prit la parole à sa place. Il le fit d'une voix de flic, à la fois insinuante et brutale :

– Vous avez quand même touché un petit quelque chose à sa mort, pas vrai ?

Rogers se redressa.

– Miss Brady nous avait fait un legs en reconnaissance de nos bons et loyaux services, répondit-il avec raideur. Où était le mal, je vous demande un peu ?

– Au fait, et vous-même, Mr Blore ? persifla Lombard.

– Comment ça, moi-même ?

– Votre nom figurait sur la liste.

Blore vira au cramoisi :

– Vous voulez parler de Landor ? Il s'agissait du hold-up de la banque... *London & Commercial.*

Le juge Wargrave s'agita dans son fauteuil :

– Je m'en souviens. L'affaire n'est pas venue devant moi, mais je me rappelle les faits. Landor a été condamné sur votre témoignage. Vous étiez l'officier de police chargé de l'enquête ?

– En effet, répondit Blore.

– Landor a été condamné à trois ans ferme ; il est mort à Dartmoor l'année suivante. C'était un homme de santé fragile.

– C'était un truand, gronda Blore. C'était lui qui avait assommé le veilleur de nuit. Ça ne faisait pas un pli.

– On vous a félicité, me semble-t-il, pour la compétence dont vous aviez fait preuve en cette affaire, dit Wargrave d'une voix lente.

– J'ai eu de l'avancement, reconnut Blore, maussade.

Il ajouta d'une voix rauque :

– Je n'avais fait que mon devoir.

Lombard éclata de rire – un rire tonitruant :

– Quels amoureux du devoir et quels fanatiques de la loi nous faisons tous ! Moi excepté... Et vous, docteur ? Votre petite faute professionnelle – un avortement, c'est ça ?

Emily Brent lui lança un regard chargé de dégoût et écarta un peu son siège.

Très maître de lui, le Dr Armstrong secoua la tête avec bonne humeur :

– Je nage en plein brouillard. Le nom qui a été prononcé ne me dit absolument rien. C'était quoi, déjà – Clees ? Close ? Je ne me rappelle vraiment pas avoir eu un patient de ce nom ni avoir causé – directement ou indirectement – la mort de quelqu'un. Cette histoire est pour moi un mystère total. Il est vrai que ça ne date pas d'hier. Il pourrait s'agir d'un des malades que j'ai opérés à l'hôpital. Ils viennent toujours trop tard, ces gens-là. Et quand le patient meurt, on colle ça neuf fois sur dix sur le dos du chirurgien.

Il secoua la tête en soupirant.

« Ivre, voilà la vérité : j'étais ivre, se dit-il. Et j'ai opéré quand même ! Mes nerfs avaient lâché... j'avais la tremblote. Je l'ai bel et bien tuée. Pauvre malheureuse... une femme d'un certain âge... une intervention toute bête, si j'avais été à jeun. Encore heureux qu'on se tienne les coudes

dans notre profession. L'infirmière savait, évidemment...
mais elle a tenu sa langue. Seigneur, le choc que ça m'a
fait ! Un choc salutaire. Mais qui peut bien être au courant
de cette histoire... après tant d'années ? »

*

Le silence s'était fait dans la pièce. Ouvertement ou à la
dérobée, tout le monde regardait Emily Brent. Il lui fallut
un certain temps pour s'en rendre compte. Ses sourcils se
haussèrent sur son front étroit :

— Vous attendez-vous à ce que je dise quelque chose ? Je
n'ai rien à dire.

— Rien, miss Brent ? insista le juge.

— Rien.

Elle serra étroitement les lèvres.

Le juge se passa la main sur le visage.

— Vous réservez votre défense ? s'enquit-il d'un ton enga-
geant.

— Il n'est pas question de défense, répliqua miss Brent
avec froideur. J'ai toujours agi en accord avec ma
conscience. Je n'ai rien à me reprocher.

Le sentiment d'insatisfaction qu'éprouvait son auditoire
était tangible. Mais Emily Brent n'était pas femme à se
laisser fléchir par l'opinion d'autrui. Elle demeura inébran-
lable.

Le juge se racla la gorge à une ou deux reprises.

— Notre enquête en restera donc là, dit-il enfin. Voyons,
Rogers, qui d'autre y a-t-il sur cette île en dehors de nous,
de vous et de votre femme ?

— Personne, monsieur. Rigoureusement personne.

— Vous en êtes sûr ?

— Sûr et certain, monsieur.

— Je ne saisis pas encore très bien pourquoi notre hôte
anonyme nous a rassemblés ici, reprit Wargrave. Mais à
mon sens, cet individu – quel qu'il soit – n'est pas sain
d'esprit au sens habituel du terme... Il est peut-être même

dangereux. Selon moi, nous avons tout intérêt à quitter cet endroit le plus tôt possible. Je suggère que nous partions ce soir même.

– Je vous demande pardon, monsieur, intervint Rogers, mais il n'y a pas de bateau sur l'île.

– Pas la moindre embarcation ?

– Non, monsieur.

– Comment communiquez-vous avec la côte ?

– Fred Narracott vient tous les matins, monsieur. Il apporte le pain, le lait, le courrier, et il prend les commandes.

– Dans ce cas, répliqua le juge Wargrave, je propose que nous partions tous demain matin, dès que Narracott arrivera avec son bateau.

Un chœur d'approbation accueillit cette suggestion – à l'exception d'une voix discordante. Celle d'Anthony Marston, en désaccord avec la majorité :

– Pas très sport, non ? On devrait élucider le mystère avant de mettre les voiles. On se croirait dans un roman policier... C'est palpitant !

– Je suis arrivé à un âge, grinça le juge, où on n'a plus guère envie de « palpiter », comme vous dites.

– La vie de magistrat, ça vous racornit un bonhomme ! railla Anthony avec un grand sourire. Moi, je suis pour le crime ! À la sienne !

Il leva son verre et le vida d'un trait.

Trop vite, peut-être. Il s'étrangla, s'étouffa. Son visage se convulsa, devint violacé. Il chercha désespérément son souffle... puis il glissa de son siège et lâcha le verre qu'il tenait à la main.

5

Ce fut si brutal, si inattendu, qu'ils en eurent tous le souffle coupé. Médusés, ils restèrent là à regarder stupidement la forme recroquevillée sur le tapis.

Enfin, le Dr Armstrong se leva d'un bond et alla s'agenouiller près du corps. Lorsqu'il releva la tête, ses yeux étaient remplis d'incrédulité.

Comme frappé de stupeur, il murmura :

— Nom de Dieu ! Il est mort.

Ils ne comprirent pas. Pas tout de suite.

Mort ? Mort ? Ce jeune dieu nordique éclatant de santé et de vigueur ? Terrassé en une seconde ? Les jeunes gens robustes ne meurent pas comme ça, en s'étranglant avec un whisky...

Non, ils ne comprenaient pas.

Le Dr Armstrong examinait le visage du mort. Il renifla les lèvres bleues, distordues. Puis il ramassa le verre dans lequel Anthony Marston avait bu.

— Mort ? s'insurgea le général Macarthur. Vous voulez dire que ce garçon s'est étranglé... et qu'il en est mort ?

— Vous pouvez appeler ça « étranglé » si ça vous chante, répondit le médecin. Ce qu'il y a de sûr, c'est qu'il est bel et bien mort d'asphyxie.

Il renifla le verre. Il trempa son doigt dans le fond de whisky et, très prudemment, le porta à sa langue.

Son expression changea du tout au tout.

— Je n'aurais jamais cru qu'on pouvait mourir comme ça, marmonna le général Macarthur. Rien qu'en avalant de travers !

— Au printemps de la vie, nous sommes déjà dans la mort ! proféra Emily Brent d'un ton vibrant.

Le Dr Armstrong se releva.

— Non, on ne meurt pas d'avoir avalé de travers, dit-il avec brusquerie. Marston n'est pas mort de ce qu'il est convenu d'appeler une mort naturelle.

La voix de Vera n'était plus qu'un souffle :

— Il y avait... quelque chose... dans le whisky ?

Armstrong inclina la tête :

— Oui. Quoi au juste, je n'en sais rien. Tout paraît désigner la gamme des cyanures. Pas d'odeur d'acide prussique, donc sans doute du cyanure de potassium. Son action est pratiquement foudroyante.

— Le poison était dans le verre ? s'enquit le juge d'un ton âpre.

— Oui.

Le médecin se dirigea vers la table sur laquelle se trouvaient les alcools. Il déboucha la bouteille de whisky, la renifla, la goûta. Puis il goûta l'eau de Seltz. Il secoua la tête :

— Normal – l'un comme l'autre.

— Ce qui reviendrait à dire qu'il... qu'il aurait mis *lui-même* le poison dans son verre ? intervint Lombard.

Armstrong acquiesça. Mais son visage exprimait une curieuse insatisfaction :

— Apparemment, oui.

— Un suicide, hmm ? fit Blore. Drôle de méthode.

— Qu'un homme comme *lui* se suicide, c'est inimaginable, murmura Vera d'une voix lente. Il était si débordant de vitalité. Il était... oh ! ... si heureux de mordre dans la vie à pleines dents ! Quand il a dévalé la colline au volant de sa voiture, tout à l'heure, il avait l'air... il avait l'air... oh, je n'arrive pas à *m'expliquer* !

Mais ils savaient ce qu'elle voulait dire. Anthony Marston, dans la plénitude de la jeunesse et de la virilité, leur avait paru immortel. Et voilà qu'il gisait maintenant sur le tapis, misérable pantin désarticulé.

— Voyez-vous une autre hypothèse que le suicide ? demanda le Dr Armstrong.

Lentement, ils secouèrent tous la tête. Il ne pouvait pas y avoir d'autre explication. Les bouteilles n'avaient pas été touchées. Ils avaient tous vu Anthony Marston se servir lui-même. Il s'ensuivait donc forcément que le cyanure contenu dans son verre ne pouvait y avoir été mis que par lui.

Seulement voilà : pourquoi Anthony Marston se serait-il suicidé ?

– Vous savez, docteur, ça ne me paraît pas net, tout ça, fit Blore d'un air songeur. Si vous voulez mon avis, Marston n'était pas le gars à se suicider.

– Je suis bien d'accord avec vous, répondit Armstrong.

*

Ils en étaient restés là. Qu'auraient-ils pu ajouter ?

Armstrong et Lombard avaient transporté le corps inerte d'Anthony Marston dans sa chambre et l'y avaient allongé sur le lit en le recouvrant d'un drap.

Lorsqu'ils redescendirent, ils trouvèrent les autres debout, en groupe compact – et, bien que la nuit ne fût pas fraîche, ils frissonnaient un peu.

– Nous ferions bien d'aller nous coucher, décréta Emily Brent. Il est tard.

Il était minuit passé. La proposition était sage... et pourtant, ils hésitèrent. Comme si chacun se raccrochait à son voisin pour se rassurer.

– Oui, nous devrions dormir un peu, approuva le juge.

– Je n'ai pas encore débarrassé la table de la salle à manger, dit Rogers.

– Vous ferez ça demain matin, trancha Lombard.

– Comment va votre femme ? lui demanda Armstrong.

– Je vais monter voir, monsieur.

Il revint au bout de deux minutes :

– Elle dort à poings fermés, monsieur.

– Bien, dit le médecin. Ne la dérangez pas.

– Non, monsieur. Je vais juste ranger un peu dans la salle à manger et m'assurer que tout est bien fermé comme il faut. Après ça, j'irai me mettre au lit.

Il traversa le hall et entra dans la salle à manger.

Les autres montèrent l'escalier en une lente et réticente procession.

Si la maison avait été une vieille demeure aux parquets qui craquent, aux ombres menaçantes et aux épais murs lambrissés, elle aurait pu avoir quelque chose d'inquiétant. Mais cette maison-là était l'essence même de la modernité. Pas de recoins sombres... pas d'éventuelles portes dérobées... La lumière électrique inondait tout – tout était neuf, net et brillant. Rien de caché, rien de secret. Un lieu dépourvu de mystère.

Et, paradoxalement, c'était ça le plus effrayant...

Sur le palier, ils se souhaitèrent une bonne nuit. Chacun entra dans sa chambre – et chacun, presque sans en avoir conscience, ferma sa porte à double tour...

*

Dans sa jolie chambre aux tons pastel, le juge Wargrave se déshabillait et se préparait à se mettre au lit.

Il pensait à Edward Seton.

Il se souvenait très bien de Seton. Ses cheveux, ses yeux bleus, sa façon de vous regarder droit dans les yeux avec un air qui respirait la franchise. C'était ça qui avait fait si bonne impression sur le jury.

Llewellyn, l'avocat de la Couronne, s'y était mal pris. Il s'était montré trop véhément, il avait voulu trop prouver.

Matthews en revanche – le défenseur – avait été remarquable. Ses arguments avaient porté. Ses contre-interrogatoires avaient été meurtriers. Lorsque son client était venu témoigner à la barre, il l'avait manœuvré de main de maître.

Et Seton s'était bien sorti de l'épreuve du contre-interrogatoire. Il n'avait manifesté ni agitation ni impétuosité excessive. Le jury en avait été impressionné. Sans doute Matthews, à ce moment-là, avait-il eu le sentiment que le plus dur était fait.

Le juge remonta soigneusement sa montre et la posa sur la table de chevet.

Il se rappelait avec une parfaite netteté ce qu'il avait éprouvé à siéger là, à écouter, à prendre des notes, à soupeser les témoignages, à répertorier les moindres indices qui plaidaient contre l'accusé.

Passionnant, ce procès ! La plaidoirie de Matthews avait été de tout premier ordre. Llewellyn, venant après, n'était pas parvenu à effacer la bonne impression produite par l'avocat de la défense.

Ensuite, ç'avait été à lui de prendre la parole pour formuler ses conclusions...

Avec précaution, le juge Wargrave ôta son dentier et le mit dans un verre d'eau. Ses lèvres ridées s'affaissèrent. Sa bouche prit un pli cruel – cruel et avide.

Fermant à demi les paupières, le juge sourit intérieurement.

Il lui avait bien réglé son compte, à Seton !

Avec un grognement de rhumatisant, il se mit au lit et éteignit la lampe de chevet.

*

En bas, dans la salle à manger, Rogers était perplexe.

Sourcils froncés, il regardait les figurines de porcelaine, au centre de la table.

– Ça, c'est un peu fort ! marmonna-t-il à part lui. J'aurais pourtant juré qu'il y en avait dix.

*

Le général Macarthur se tournait et se retournait dans son lit.

Il n'arrivait pas à trouver le sommeil.

Dans le noir, il voyait sans arrêt le visage d'Arthur Richmond.

Il l'aimait bien, Arthur – il l'aimait rudement bien. Et il avait été content de voir que Leslie l'aimait bien aussi.

Leslie était si capricieuse... Le nombre de braves garçons

qu'elle avait pu toiser avec dédain et décréter assommants.
« Il est assommant ! » Point final.

Mais Arthur Richmond, elle ne l'avait pas trouvé assommant. Dès le début, ils s'étaient bien entendus. Ils discutaient ensemble théâtre, musique, cinéma. Elle le taquinait, se moquait de lui, le mettait en boîte. Et lui, Macarthur, était ravi que Leslie porte à ce grand gosse un intérêt maternel.

Maternel, tu parles ! Quel imbécile d'oublier que Richmond avait vingt-huit ans et Leslie vingt-neuf.

Il l'avait aimée, Leslie. Il la revoyait, avec son visage en forme de cœur, ses yeux gris profonds et changeants, la masse brune de ses cheveux bouclés. Il l'avait aimée, Leslie, et il avait alors en elle une confiance absolue.

Là-bas, en France, dans l'enfer de la guerre, il pensait sans cesse à elle, sortait sa photo de la poche-poitrine de sa vareuse.

Et puis... il avait découvert le pot aux roses !

Ça s'était passé exactement comme dans les romans. Une erreur d'enveloppe. Elle leur avait écrit à tous les deux, et elle avait mis la lettre destinée à Richmond dans l'enveloppe adressée à son mari. Aujourd'hui encore, après tant d'années, il ressentait le choc... la douleur...

Bon Dieu, que ça avait fait mal !

Et leur liaison durait depuis un certain temps déjà. La lettre ne laissait aucun doute sur ce point. Des week-ends ensemble ! La dernière permission de Richmond...

Leslie... Leslie et Arthur !

Le salopard ! Avec sa bouille souriante, ses « Oui, mon général » empressés ! Un menteur, voilà ce que c'était, et un hypocrite ! Un type qui volait la femme des autres !

Ça avait mûri lentement... une rage froide, meurtrière.

Il avait réussi à se comporter comme d'habitude... à ne rien laisser paraître. Il s'était efforcé de ne rien changer à son attitude envers Richmond.

Y était-il parvenu ? Il le pensait. Richmond n'avait rien soupçonné. Les sautes d'humeur étaient monnaie courante à la guerre, quand on était continuellement sous pression.

Seul Armitage l'avait regardé une ou deux fois d'un air bizarre. C'était un gamin, mais il avait de l'intuition.

Peut-être Armitage avait-il deviné... quand l'heure avait sonné ?

Il avait délibérément envoyé Richmond à la mort. Seul un miracle lui aurait permis de revenir indemne. Le miracle ne s'était pas produit. Oui, il avait envoyé Richmond à la mort et il ne regrettait rien. Ça n'avait pas été bien difficile. Des erreurs de ce genre, des officiers qu'on envoyait au casse-pipe sans nécessité, ça arrivait tout le temps. On vivait dans la confusion, la panique. Plus tard, il se trouverait peut-être des gens pour dire : « Le vieux Macarthur a un peu perdu les pédales, il a commis quelques bourdes colossales et sacrifié quelques-uns de ses meilleurs hommes. » Mais ça n'irait pas plus loin.

Seulement, pour le jeune Armitage, c'était différent. Il avait regardé son supérieur d'un drôle d'air. Peut-être avait-il compris qu'on envoyait froidement Richmond se faire tuer ?

(Est-ce qu'à la fin de la guerre, Armitage avait parlé ?)

Leslie n'avait rien su. Leslie avait pleuré son amant – du moins le supposait-il –, mais, au retour de son mari en Angleterre, elle avait déjà cessé de pleurer. Il ne lui avait jamais dit qu'il avait découvert son infidélité. Ils avaient repris la vie commune – mais, Dieu sait pourquoi, elle ne lui avait plus semblé très réelle. Et puis, trois ou quatre ans plus tard, une double pneumonie l'avait emportée.

Cela remontait à bien longtemps. Quinze ans... seize ans ?

Il avait alors quitté l'armée pour venir s'installer dans le Devon. Il y avait acheté le genre de petite bicoque dont il avait toujours eu envie. Des voisins sympathiques – un joli coin. On pouvait y chasser et y pêcher. Le dimanche, il allait au temple. (Sauf le jour où on lisait le texte où David ordonne qu'on envoie Urie au plus fort de la bataille. Celui-là, il n'avait pas le courage de l'écouter. Ça lui donnait un sentiment de malaise.)

Tout le monde l'avait accueilli à bras ouverts. Du moins,

au début. Par la suite, il avait eu l'impression pénible qu'on chuchotait dans son dos. On le regardait d'un œil différent. Comme si on avait entendu des racontars... une rumeur mensongère...

(Armitage ? Et si Armitage avait parlé ?)

À partir de ce moment-là, il s'était mis à éviter les gens, il s'était replié sur lui-même. Désagréable de sentir qu'on déblatère sur votre compte.

C'était si vieux, tout ça. Si... si vain, aujourd'hui. Le souvenir de Leslie s'était estompé, celui d'Arthur Richmond aussi. Rien de ce qui s'était passé n'avait plus guère d'importance.

N'empêche que ça lui rendait la vie bien solitaire. Il en était arrivé à fuir ses vieux camarades de régiment.

(Si Armitage avait parlé, ils devaient être au courant.)

Et voilà que, ce soir, une voix avait claironné cette vieille histoire.

Avait-il bien réagi ? Gardé son flegme ? Manifesté les sentiments qui convenaient : indignation, dégoût... sans prendre l'air coupable ni embarrassé ? Difficile à dire.

Personne n'avait pu prendre cette accusation au sérieux. La voix avait débité un tas d'autres inepties tout aussi abracadabrantes. Cette jeune femme charmante... accusée d'avoir noyé un enfant ! Grotesque ! Lubie de déséquilibré lançant des accusations à tort et à travers !

Et Emily Brent... une nièce du vieux Tom Brent, son copain de régiment. La Voix l'avait accusée de meurtre. *Elle* ! Alors qu'un aveugle se serait rendu compte que cette vieille fille était confite en dévotion... que c'était le type même de la grenouille de bénitier.

Fichtrement bizarre, cette affaire-là ! Cinglée, pour ne pas dire plus.

Depuis leur arrivée sur cette île... Quand était-ce, déjà ? Nom d'un pétard, cet après-midi seulement ! Ça semblait faire drôlement plus longtemps.

« Je me demande quand nous réussirons à repartir », pensa-t-il.

Demain, bien sûr, quand le canot à moteur arriverait.

Curieux. Tout d'un coup, il n'avait plus très envie de quitter l'île... de retrouver la côte, sa petite bicoque, ses ennuis et ses soucis. Par la fenêtre ouverte, il entendait les vagues se briser sur les rochers – un peu plus fort maintenant qu'en début de soirée. Voilà que le vent se levait.

« Quel bruit paisible..., pensa-t-il. Quel havre de paix... »

Il se dit encore :

« Ce qu'il y a de bien, avec une île, c'est qu'une fois qu'on y est, on ne peut pas aller plus loin... on est arrivé à son terme, au bout de tout... »

Il comprit soudain qu'il ne voulait plus quitter l'île.

*

Allongée dans son lit, les yeux grands ouverts, Vera Claythorne contemplait le plafond.

Sa lampe de chevet était allumée. Elle avait peur de l'obscurité.

« Hugo... Hugo..., pensait-elle, comment se fait-il que je te sente si près de moi ce soir ?... Tout près, là, tellement près...

» Où est-il, en réalité ? Je n'en sais rien. Je ne le saurai jamais. Il est sorti de ma vie sans se retourner. »

Inutile d'essayer de ne pas penser à Hugo. Il était près d'elle. Vera ne pouvait pas ne pas penser à lui – se souvenir...

Les Cornouailles...

Les rochers noirs, le sable doré, si doux au toucher. Mrs Hamilton, toute rondeurs et fous rires. Cyril, toujours un peu geignard, qui la tirait par la main :

– *Je veux nager jusqu'au rocher, miss Claythorne ! Pourquoi je peux pas nager jusqu'au rocher ?*

Elle levait la tête, croisait le regard de Hugo fixé sur elle.

Les soirées, quand Cyril était couché...

– *Venez faire un tour, miss Claythorne.*

– *Je ne dis pas non.*

La promenade en tout bien tout honneur jusqu'à la plage. Le clair de lune... la brise de l'Atlantique.

Et soudain, les bras de Hugo autour d'elle :

– *Je vous aime. Je vous aime. Vous savez que je vous aime, Vera ?*

Oui, elle le savait.

Ou, du moins, croyait le savoir.

– *Je ne peux pas vous demander de m'épouser. Je n'ai pas le sou. Tout juste de quoi subvenir à mes besoins. C'est bizarre, vous savez : pendant trois mois de ma vie, j'ai bien cru que j'avais des chances de devenir riche. Cyril est né seulement trois mois après la mort de Maurice. Si ç'avait été une fille...*

Si l'enfant avait été une fille, Hugo héritait de tout. Il avait été déçu, il le reconnaissait bien volontiers.

– *J'avais beau ne pas avoir misé là-dessus, ça m'a quand même fichu un coup. Enfin, c'est la vie ! Cyril est un brave gosse. J'ai une grosse tendresse pour lui.*

Et c'était vrai. Il était toujours prêt à jouer avec son neveu, à le distraire. Hugo n'était pas d'un naturel rancunier.

Cyril n'était pas très robuste. C'était un enfant malingre... dépourvu de tonus. Le genre d'enfant qui n'était pas destiné à faire de vieux os...

Auquel cas...

– *Miss Claythorne, pourquoi je peux pas nager jusqu'au rocher ?*

Refrain geignard, exaspérant.

– *C'est trop loin, Cyril.*

– *Oh, miss Claythorne...*

Vera se leva. Elle prit le tube d'aspirine sur la coiffeuse et avala trois comprimés.

« Qu'est-ce que je ne donnerais pas pour un véritable somnifère ! » se dit-elle.

Elle rumina ses pensées :

« Moi, si je devais mettre fin à mes jours, je me bourrerais de véronal – un truc dans ce genre-là –, mais je n'irais pas ingurgiter du cyanure ! »

Elle frissonna au souvenir du visage violacé, convulsé, d'Anthony Marston.

En passant devant la cheminée, elle leva les yeux vers la comptine accrochée au mur.

Dix petits nègres s'en furent dîner,
L'un d'eux but à s'en étrangler
– n'en resta plus que neuf.

« C'est horrible. *Exactement comme ce soir* », songea-t-elle.

Pourquoi Anthony Marston avait-il voulu mourir ?

Elle, en tout cas, elle ne voulait pas mourir.

Elle n'imaginait pas qu'elle puisse jamais avoir envie de mourir...

La mort, c'était... pour les autres.

6

Le Dr Armstrong rêvait...

Il faisait une chaleur, dans cette salle d'opération !

Pas possible, ils avaient mal réglé le thermostat ! La sueur dégoulinait sur son visage. Ses paumes étaient moites. Pas commode de tenir convenablement le bistouri...

Ce que la lame était bien aiguisée !

Facile de commettre un meurtre avec un instrument pareil. D'ailleurs, il *était en train* de commettre un meurtre...

Le corps de la femme paraissait différent. À l'époque, ç'avait été un corps obèse, difficile à manier. Celui-ci était squelettique. Et le visage était caché.

Qui donc devait-il tuer ?

Il n'arrivait pas à s'en souvenir. Pourtant, il *fallait* qu'il le sache ! S'il demandait à l'infirmière ?

L'infirmière l'observait. Non, il ne pouvait pas le lui demander. Elle était soupçonneuse, ça se voyait.

Mais qui était sur le billard ?

On n'aurait pas dû lui couvrir ainsi le visage...

Si seulement il pouvait le voir, ce visage...

Ah! ça allait mieux. Une jeune interne venait d'ôter le mouchoir.

Emily Brent. Bien sûr! C'était Emily Brent qu'il devait tuer. Quel regard malveillant elle avait! Ses lèvres remuaient. Que disait-elle?

« Au printemps de la vie nous sommes déjà dans la mort... »

Elle riait, à présent. Non, mademoiselle, ne remettez pas le mouchoir! Il faut que j'y voie. Il faut que je fasse l'anesthésie. Où est l'éther? J'ai dû l'apporter avec moi. Qu'avez-vous fait de l'éther, mademoiselle?... Du châteauneuf-du-pape? Oui, cela fera aussi bien l'affaire.

Retirez le mouchoir, mademoiselle.

Évidemment! Je le savais depuis le début! *C'est Anthony Marston!* Il a le visage violacé, convulsé. Mais il n'est pas mort... il rit. Je vous dis qu'il rit! Il en fait trembler la table d'opération.

Du calme, mon vieux, du calme. Mademoiselle, calez la table... calez-la...

Le Dr Armstrong se réveilla en sursaut. Il faisait jour. Le soleil inondait sa chambre.

Et quelqu'un était penché sur lui... le secouait. C'était Rogers. Rogers, blême, qui disait:

— Docteur... docteur!

Le Dr Armstrong se réveilla tout à fait.

Il se mit sur son séant:

— Qu'y a-t-il?

— C'est ma femme, docteur. *Je n'arrive pas à la réveiller.* Seigneur! Je n'arrive pas à la réveiller. Et elle... elle ne m'a pas l'air... dans son état normal.

Le Dr Armstrong se montra rapide et efficace. Il se drapa dans sa robe de chambre et suivit Rogers.

Il se pencha sur le lit où la domestique était couchée sur le côté, apparemment en paix. Il toucha une main froide, souleva une paupière. Au bout d'un instant, il se redressa et se détourna du lit.

Rogers humecta ses lèvres sèches :

— Est-ce que... est-ce qu'elle est... ?

Armstrong inclina la tête :

— Oui, c'est fini.

Pensif, il regarda l'homme debout devant lui. Puis il posa tour à tour les yeux sur la table de chevet, sur le lavabo et sur la femme qui dormait de son dernier sommeil.

— Est-ce que... est-ce que... c'est son cœur, docteur ? balbutia Rogers.

Le Dr Armstrong tarda une minute ou deux à répondre.

— Elle était en bonne santé, en temps normal ? demanda-t-il enfin.

— Il y avait ses rhumatismes qui la faisaient bien un peu souffrir, mais...

— Elle était suivie par un médecin, ces derniers temps ?

— Un médecin ? répéta Rogers, interloqué. Ça fait des années qu'on n'a pas vu de médecin... ni elle ni moi.

— Vous n'avez aucune raison de croire qu'elle souffrait de troubles cardiaques ?

— Non, docteur, je n'ai jamais été au courant d'une chose pareille.

— Son sommeil était bon ?

Cette fois, Rogers évita le regard du médecin. Il joignit les mains et les tordit nerveusement.

— Elle ne dormait pas tellement bien, non, bredouilla-t-il.

— Elle prenait quelque chose pour dormir ? gronda le médecin.

Rogers le regarda, surpris :

— Quelque chose ? Pour dormir ? Pas que je sache. Et puis non, je suis sûr que non.

Armstrong s'approcha du lavabo.

Un certain nombre de flacons étaient alignés sur la tablette : lotion capillaire, eau de lavande, pommade astringente, crème de concombre pour les mains, bain de bouche, pâte dentifrice et pastilles digestives.

Rogers l'aida en ouvrant les tiroirs de la coiffeuse. De là, ils passèrent tous deux à la commode. Ils ne trouvèrent pas trace de somnifères, que ce fût en gouttes ou en comprimés.

— Elle n'a rien pris hier soir, docteur, dit Rogers, à part bien sûr ce que vous lui avez donné...

*

Quand, à 9 heures, le gong annonça le petit déjeuner, tout le monde était levé et attendait déjà depuis longtemps.

Le général Macarthur et le juge faisaient les cent pas sur la terrasse en échangeant des propos décousus sur la situation politique.

Vera Claythorne et Philip Lombard étaient montés au sommet de l'île, derrière la maison. Ils y avaient trouvé William Henry Blore, occupé à scruter la côte.

— Toujours pas de canot à moteur en vue, leur signala Blore. Ça fait pourtant un bon bout de temps que je le guette.

— Le Devon est une région en sommeil, dit Vera en souriant. Il ne faut pas s'attendre à ce que les gens s'y agitent de bonne heure.

Philip Lombard regardait de l'autre côté, en direction du large.

— Que pensez-vous du temps ? demanda-t-il brusquement.

Blore jeta un coup d'œil vers le ciel :

— Il m'a l'air au beau fixe.

Lombard émit un petit sifflement :

— Le vent va se lever avant la fin de la journée.

— Une tempête, hmm ? fit Blore.

D'en bas leur parvint un coup de gong.

— Le petit déjeuner ? se réjouit Philip Lombard. Ma foi, je n'ai rien contre.

Tandis qu'ils descendaient le raidillon, Blore s'adressa à Lombard d'une voix soucieuse :

— Vous savez, ça me dépasse... Pourquoi ce garçon aurait-il voulu se supprimer ? Ça m'a turlupiné toute la nuit.

Vera marchait en tête. Lombard ralentit un peu le pas :

— Vous avez une autre théorie ?

— Il me faudrait une preuve. Et un mobile, pour commencer. À mon avis, c'est un type qui était plein aux as.

Emily Brent sortit par la porte-fenêtre du salon et vint à leur rencontre.

— Le bateau arrive ? demanda-t-elle, un peu tendue.

— Pas encore, répondit Vera.

Ils entrèrent dans la salle à manger. Du thé, du café et un grand plat d'œufs au bacon les attendaient sur la desserte.

Rogers s'effaça pour les laisser passer, puis sortit en fermant la porte.

— Cet homme n'a pas l'air dans son assiette, ce matin, décréta Emily Brent.

Le Dr Armstrong, qui se tenait près de la fenêtre, se racla la gorge :

— Il va falloir excuser... euh... les éventuelles imperfections du service. Rogers a fait de son mieux pour préparer tout seul le petit déjeuner. Mrs Rogers... euh... n'a pas été en mesure de s'en charger ce matin.

— Qu'a-t-elle donc encore ? s'enquit Emily Brent d'un ton acide.

— Mettons-nous à table, les œufs vont refroidir, éluda le Dr Armstrong. Après le petit déjeuner, il y a plusieurs questions dont je voudrais vous entretenir.

Ils ne se le firent pas dire deux fois. On remplit les assiettes, on servit le thé et le café. Le repas commença.

D'un commun accord, toute allusion à l'île fut proscrite. Ils discutèrent à bâtons rompus de l'actualité : nouvelles de l'étranger, exploits sportifs, dernière apparition en date du monstre du Loch Ness.

Puis, une fois la table desservie, le Dr Armstrong recula un peu sa chaise, toussota d'un air solennel et prit la parole :

— J'ai préféré attendre la fin du petit déjeuner pour vous annoncer la triste nouvelle. Mrs Rogers est morte dans son sommeil.

Des exclamations effarées, stupéfaites, fusèrent de toute part.

— Quelle horreur ! s'exclama Vera. Deux morts sur cette île depuis notre arrivée !

Les yeux mi-clos, le juge Wargrave intervint de sa petite voix précise :

— Hum... très extraordinaire... De quoi est-elle morte ?

Armstrong haussa les épaules :

— Impossible à dire comme ça.

— Il faudra une autopsie ?

— Je ne m'aviserais certes pas de délivrer un permis d'inhumer. J'ignore ce qu'était l'état de santé de cette femme.

— Elle avait l'air très nerveuse, dit Vera. Et elle a subi un choc, hier soir. Il s'agit d'un arrêt du cœur, j'imagine ?

— Son cœur s'est évidemment arrêté de battre, répliqua le Dr Armstrong, très sec. Mais pour quelle raison, c'est là toute la question.

Deux mots tombèrent des lèvres d'Emily Brent. Ils tombèrent, tel un couperet, au milieu du groupe attentif :

— *Le remords !*

Armstrong se tourna vers elle :

— Qu'entendez-vous au juste par là, miss Brent ?

— Vous avez tous entendu, répondit Emily Brent, la bouche dure et pincée. Elle a été accusée, avec son mari, d'avoir délibérément empoisonné sa précédente patronne — une personne âgée.

— Et vous pensez... ?

— J'estime que l'accusation était fondée. Vous l'avez tous vue, hier soir. Ses nerfs ont lâché et elle s'est évanouie. Confrontée à son crime, elle n'a pas supporté le choc. Elle est littéralement morte de peur.

Le Dr Armstrong secoua la tête, sceptique :

— C'est une hypothèse, dit-il. On ne peut cependant l'adopter avant d'en savoir davantage sur son état de santé. Si elle souffrait d'une insuffisance cardiaque...

– Appelez cela le doigt de Dieu, si vous préférez, déclara
posément Emily Brent.

Ils eurent tous l'air choqué. Gêné, Mr Blore protesta :

– Là, miss Brent, vous poussez un peu loin le bouchon.
Elle les toisa, l'œil brillant, et leva le menton :

– Vous estimez donc impossible qu'un pécheur soit fou-
droyé par le courroux divin ? Pas moi !

Le juge se caressa la joue. D'une voix teintée d'ironie, il
murmura :

– Chère mademoiselle, si j'en crois mon expérience, c'est
à nous autres mortels que la Providence laisse le soin de
condamner et de châtier les coupables – et c'est une tâche
ingrate, un long cheminement semé d'embûches. Il n'y a
pas de raccourcis.

Emily Brent haussa les épaules.

– Qu'a-t-elle mangé et bu hier soir après être montée se
coucher ? demanda soudain Blore.

– Rien, répondit Armstrong.

– Rien du tout ? Même pas une tasse de thé ? Un verre
d'eau ? Je vous parie qu'elle a pris une tasse de thé. C'est
une manie, chez ces gens-là.

– Rogers affirme qu'elle n'a rigoureusement rien avalé.

– Ça, fit Blore, c'est *lui* qui le dit !

Son ton était si lourd de sens que le médecin lui lança un
regard acéré.

– Alors, c'est ça votre idée ? ricana Philip Lombard.

– Et pourquoi pas ? répliqua Blore, agressif. Nous avons
tous entendu l'accusation portée contre eux hier soir. Ce ne
sont peut-être que des bobards – de la loufoquerie pure et
simple ? D'accord, mais, après tout, peut-être pas.
Admettons pour l'instant que ce soit vrai. Rogers et sa bourgeoise ont liquidé la vieille. Qu'est-ce que ça nous donne ?
Nos deux lascars se sentaient tranquilles comme Baptiste,
ravis de leur coup...

Vera l'interrompit.

– Non, dit-elle à voix basse, je ne pense pas que
Mrs Rogers se soit jamais sentie tranquille.

Blore parut un peu contrarié par cette interruption.

« Ça, c'est bien les femmes ! » disait son regard.

– C'est une simple supposition, reprit-il. Quoi qu'il en soit, à leur connaissance, rien au monde ne pouvait les menacer. Et puis voilà que, hier soir, une espèce de cinglé anonyme vend la mèche. Que se passe-t-il ? La femme craque... elle tombe dans les pommes. Rappelez-vous comme son mari était aux petits soins quand elle a repris connaissance. Ce n'était pas uniquement de la sollicitude conjugale ! Jamais de la vie ! Il était sur les charbons ardents. Vert de peur à l'idée de ce qu'elle pourrait lâcher.

» Et voilà le topo, braves gens ! Ils ont commis un meurtre et s'en sont bien tirés. Mais si l'affaire est déterrée, que va-t-il se passer ? Dix contre un que la femme se mettra à table. Elle n'aura pas le cran de nier jusqu'au bout. Vous parlez d'un danger pour son mari ! Lui, de son côté, pas de problème. *Lui*, il mentira jusqu'à plus soif – mais il ne peut pas être sûr d'*elle* ! Et si *elle* passe aux aveux, il risque la corde ! Alors il verse une saloperie quelconque dans son thé, histoire de la faire taire une bonne fois pour toutes.

– Il n'y avait pas de tasse vide sur la table de chevet, objecta Armstrong. Il n'y avait rien du tout. J'ai regardé.

– Évidemment qu'il n'y avait rien ! ricana Blore. Vous pensez bien que son premier soin, après qu'elle a bu, ç'a été de laver la tasse et la soucoupe.

Il y eut un silence. Puis le général Macarthur déclara, sceptique :

– C'est une possibilité. Mais j'ai peine à croire qu'un homme puisse faire ça... à sa femme.

Blore eut un rire bref :

– Quand un homme tremble pour sa peau, ce ne sont pas les sentiments qui l'arrêtent.

Il y eut un silence. Avant que quelqu'un n'ait pu prendre la parole, la porte s'ouvrit et Rogers entra.

Les regardant tour à tour, il s'enquit :

– Désirez-vous autre chose ?

Le juge Wargrave s'agita un peu dans son fauteuil :

– À quelle heure le bateau arrive-t-il, d'habitude ?

– Entre 7 et 8 heures, monsieur. Parfois un peu plus tard. Je ne sais pas ce que fabrique Fred Narracott ce matin. S'il était malade, il aurait envoyé son frère.

– Quelle heure est-il ? demanda Philip Lombard.

– 10 heures moins 10, monsieur.

Lombard haussa les sourcils. Lentement, il hocha la tête. Rogers attendit un instant, sans bouger.

– Navré pour votre femme, Rogers ! lança soudain le général Macarthur d'une voix tonitruante. Le docteur vient de nous annoncer la nouvelle.

Rogers courba la tête :

– Oui, monsieur. Je vous remercie, monsieur.

Il sortit, emportant le plat de bacon vide.

Le silence retomba.

*

– À propos de ce canot..., dit Philip Lombard.

Blore le fixa. Les deux hommes étaient dehors, sur la terrasse.

– Je sais ce que vous pensez, Mr Lombard, fit Blore en hochant la tête. Je me suis posé la même question. Le canot devrait être ici depuis près de deux heures. Il n'est pas venu. Pourquoi ?

– Vous avez trouvé la réponse ? demanda Lombard.

– *Ce n'est pas un hasard*, la voilà, ma réponse. Ça fait partie du plan d'ensemble. Tout est lié.

– Il ne viendra pas, vous pensez ?

Derrière Philip Lombard, une voix s'éleva – une voix irritée, impatiente :

– Ce canot n'est pas prêt d'arriver !

Tournant légèrement ses épaules carrées, Blore observa d'un air songeur celui qui venait de parler :

– Vous pensez vous aussi qu'il ne viendra pas, mon général ?

– Évidemment qu'il ne viendra pas ! répliqua le général

Macarthur. Nous comptons sur ce bateau pour quitter l'île. Tout est là, justement. *Nous n'allons pas quitter l'île...* Aucun de nous ne partira d'ici... C'est la fin, vous comprenez ? La fin de tout...

Après avoir hésité, il ajouta d'une voix grave, étrange :

— C'est ça la paix... la vraie paix. Arriver au bout de sa route... ne pas avoir à continuer... Oui, la paix...

Il tourna brusquement les talons. Quittant la terrasse, il s'engagea dans la pente qui descendait doucement vers la mer et se dirigea en diagonale vers l'extrémité de l'île, où un chapelet de rochers émergeait de l'eau.

Il marchait d'un pas incertain, comme un homme qui dormirait éveillé.

— En voilà encore un qui déraille ! commenta Blore. Ça m'a l'air bien parti pour qu'on prenne tous le même chemin.

— Pas *vous,* Blore, dit Philip Lombard. Parce que, ça, ça m'en boucherait un coin.

L'ex-inspecteur éclata de rire :

— Il en faudrait beaucoup pour me faire perdre la boule.

Il ajouta, pince-sans-rire :

— Je ne vous vois pas non plus prendre ce chemin, Mr Lombard.

— Je me sens tout ce qu'il y a de plus sain d'esprit pour l'instant, je vous remercie, répliqua Philip Lombard.

*

Arrivé sur la terrasse, le Dr Armstrong hésita. À sa gauche se tenaient Blore et Lombard. À sa droite, Wargrave, tête baissée, faisait lentement les cent pas.

Après un instant d'indécision, Armstrong se dirigea vers ce dernier.

Mais à cet instant précis, Rogers jaillit de la maison :

— Pourrais-je vous dire un mot, monsieur, je vous prie ?

Armstrong se retourna.

Ce qu'il vit le fit tressaillir.

Le visage de Rogers était ravagé de tics. Son teint plombé tirait sur le verdâtre. Ses mains tremblaient.

Cela faisait un tel contraste avec son attitude réservée de tout à l'heure que le Dr Armstrong en fut stupéfait.

— S'il vous plaît, monsieur, je voudrais vous dire un mot. À l'intérieur, monsieur.

Faisant demi-tour, le médecin regagna la maison avec le domestique affolé.

— Que se passe-t-il, mon vieux ? lui dit-il. Remettez-vous.

— Par ici, monsieur, venez par ici.

Il ouvrit la porte de la salle à manger. Le médecin y entra, suivi de Rogers qui referma la porte derrière lui.

— Eh bien, s'enquit Armstrong, qu'est-ce qui vous arrive ?

Rogers avait la gorge contractée. Il déglutit avec peine et bredouilla :

— Il se passe des choses que je ne comprends pas, monsieur.

— Des choses ? Quelles choses ? grinça Armstrong.

— Vous allez croire que je suis devenu fou, monsieur. Vous allez me dire que ce n'est rien. Mais il faut y trouver une explication, monsieur. Il faut bien y trouver une explication. Parce que ça n'a pas de sens.

— Si vous me disiez de quoi il s'agit, mon vieux ? Cessez de parler par énigmes.

Rogers avala de nouveau sa salive :

— Il s'agit des petits personnages, monsieur. Au milieu de la table. Les petits personnages en porcelaine. Dix, il y en avait. Dix, je suis prêt à le jurer.

— En effet, dix, confirma Armstrong. Nous les avons comptés hier soir au dîner.

Rogers se rapprocha de lui :

— C'est justement ça, monsieur. Hier soir, quand j'ai débarrassé la table, il n'y en avait plus que neuf. Sur le moment, j'ai trouvé ça bizarre, sans plus. Et puis, ce matin, monsieur... Je ne m'en suis pas aperçu quand j'ai mis le couvert du petit déjeuner. J'étais bouleversé, j'avais la tête ailleurs, vous comprenez. Mais à l'instant, monsieur, quand je suis venu desservir... regardez par vous-même si vous ne me croyez pas. *Il n'y en a plus que huit, monsieur!* Plus que huit! Ça n'a pas de sens, n'est-ce pas? *Plus que huit...*

7

Après le petit déjeuner, Emily Brent avait proposé à Vera Claythorne de retourner sur le promontoire pour guetter le bateau. Vera avait accepté.

Le vent avait fraîchi. De petites crêtes blanches apparaissaient sur la mer. Aucun bateau de pêche en vue – et pas trace de canot à moteur.

On ne voyait pas Sticklehaven, mais seulement la colline qui dominait le village – éperon de roche rouge qui dissimulait la petite baie.

— L'homme qui nous a amenés hier avait l'air d'un individu de confiance, commenta Emily Brent. Je ne comprends pas qu'il ait tellement de retard ce matin.

Vera ne répondit pas. Elle luttait contre un sentiment de panique grandissant.

« Garde ton sang-froid, se morigéna-t-elle. Cela ne te ressemble pas. Tu as toujours eu les nerfs solides. »

Au bout d'une minute, elle dit tout haut :

— Je donnerais cher pour qu'il arrive. Je... j'ai envie de partir d'ici.

— Si vous croyez que vous êtes la seule ! répliqua Emily Brent d'un ton sec.

— Tout cela est tellement étrange..., murmura Vera, et tellement... tellement incompréhensible...

— Je m'en veux beaucoup de m'être laissé berner si facilement, tempêta la vieille demoiselle. Cette lettre est absurde, quand on y regarde à deux fois. Mais sur le moment, le doute ne m'a pas effleurée – pas un instant.

— Non, bien sûr, murmura machinalement Vera.

– On a trop tendance à estimer que les choses vont de soi, dit Emily Brent.

Vera émit un long soupir tremblé :

– Vous pensez vraiment... ce que vous avez dit au petit déjeuner ?

– Soyez un peu plus précise, ma chère. À quoi au juste faites-vous allusion ?

– Vous pensez vraiment que Rogers et sa femme se sont débarrassés de la vieille dame ? fit Vera à voix basse.

Pensive, Emily Brent semblait s'abîmer dans la contemplation de la mer.

– Personnellement, j'en suis convaincue, répondit-elle enfin. Et vous ? Qu'en pensez-vous ?

– Je ne sais qu'en penser.

– Tout concourt à étayer cette hypothèse, insista Emily Brent, péremptoire. L'évanouissement de Mrs Rogers... Son mari qui laisse tomber le plateau du café, rappelez-vous. Et la façon dont il a plaidé leur cause... ça ne semblait pas sincère. Oh ! oui, je suis persuadée qu'ils ont fait le coup.

– Cet air qu'elle avait – l'air d'avoir peur de son ombre ! frémit Vera. Je n'ai jamais vu quelqu'un d'aussi effrayé... elle devait être hantée par... par le remords...

– Je me souviens d'une phrase de la Bible qui était encadrée dans ma chambre, quand j'étais petite, murmura miss Brent : « *Sache que ton péché te rattrapera.* » C'est très vrai, cela. « *Sache que ton péché te rattrapera.* »

Vera se releva avec peine.

– Mais alors, miss Brent, dit-elle, mais alors, dans ce cas...

– Oui, ma chère ?

– Les autres ? Et les autres, alors ?

– Je ne vous suis pas bien.

– Toutes les autres accusations... elles n'étaient pas fondées, elles ? Pourtant, si c'est vrai pour les Rogers...

Elle s'interrompit, incapable d'exprimer clairement ses pensées chaotiques.

Emily Brent, qui avait froncé les sourcils, perdit soudain son air perplexe.

– Ah ! maintenant, je vous comprends, dit-elle. Eh bien... prenons ce Mr Lombard. Il reconnaît avoir abandonné vingt hommes à une mort certaine.

– Ce n'étaient que des indigènes...

– Noirs ou blancs, nous sommes tous frères ! répliqua Emily Brent d'un ton cassant.

« Nos frères noirs... nos frères noirs..., pensa Vera. Bon sang, je vais me mettre à hurler de rire. Je suis hystérique. Je ne suis pas dans mon état normal... »

Doctorale, Emily Brent poursuivait :

– Remarquez, certaines des accusations étaient extravagantes, voire ridicules. C'est le cas pour le juge, qui faisait simplement son devoir dans l'exercice de ses fonctions. Même chose pour l'ancien policier de Scotland Yard. Et pour moi.

Elle marqua un temps avant d'enchaîner :

– Naturellement, compte tenu des circonstances, je n'ai pas voulu m'expliquer hier soir. Ce n'était pas un sujet à débattre en présence de ces messieurs.

– Non ?

Vera l'écoutait avec intérêt. Sereine, miss Brent poursuivit :

– Beatrice Taylor était à mon service. Ce n'était pas *une fille comme il faut* – mais ça, je ne m'en suis avisée que trop tard. Je m'étais laissé abuser par son apparence. Elle avait de bonnes manières, elle était très propre et pleine de bonne volonté. J'étais très contente d'elle. En réalité, tout cela n'était que pure hypocrisie ! C'était une fille perdue, sans aucune moralité. Écœurant ! Au bout de quelque temps, j'ai découvert qu'elle était « dans une situation intéressante », comme on dit. (Elle s'interrompit, fronçant avec dégoût son nez délicat.) Ce fut pour moi un choc. D'autant que ses parents étaient des gens bien, qui lui avaient donné une éducation très stricte. Je suis heureuse de pouvoir dire qu'ils ne lui ont pas pardonné sa conduite.

Sans la quitter des yeux, Vera lui demanda :

– Comment cela s'est-il terminé ?

– Vous pensez bien que je ne l'ai pas gardée une heure de plus sous mon toit. Jamais on ne pourra me taxer d'indulgence pour ce qui contrevient à la morale.

Baissant la voix, Vera interrogea :

– Oui, mais comment cela s'est-il terminé... pour elle ?

– Non contente d'avoir un péché sur la conscience, répondit miss Brent, cette créature débauchée en a commis un autre, plus grave encore. Elle a mis fin à ses jours.

– Elle s'est suicidée ? chuchota Vera, frappée d'horreur.

– Oui. Elle s'est jetée dans la rivière.

Bouche bée, Vera contempla le profil calme et délicat de miss Brent. Et elle frissonna.

– Qu'avez-vous ressenti quand vous avez appris qu'elle avait fait ça ? demanda-t-elle. Vous n'avez pas eu de regrets ? Vous ne vous êtes pas sentie responsable ?

Emily Brent redressa le buste :

– Moi ? Je n'avais rien à me reprocher.

– Mais si c'est votre... dureté... qui l'a poussée à faire ça ?

Emily Brent répliqua d'un ton sec :

– C'est son inconduite, c'est le péché qu'elle avait commis qui l'y ont poussée. Si elle avait agi en fille convenable et réservée, rien de tout cela ne serait arrivé.

Elle regarda Vera bien en face. Ses yeux n'exprimaient aucune gêne, aucun remords. Ils étaient durs, pleins de sûreté de soi. Emily Brent trônait au sommet de l'île du Nègre, engoncée dans son armure de vertu.

La vieille demoiselle ne semblait soudain plus du tout passablement ridicule à Vera.

Maintenant, elle lui paraissait monstrueuse.

*

Le Dr Armstrong sortit de la salle à manger et retourna sur la terrasse.

Assis dans un fauteuil, le juge contemplait la mer avec placidité.

Un peu à l'écart, sur la gauche, Lombard et Blore fumaient en silence.

Comme précédemment, le médecin hésita un instant. Il jaugea le juge Wargrave du regard. Il voulait avoir l'avis de quelqu'un.

Il n'ignorait pas que le juge possédait un esprit aiguisé et logique. Néanmoins, il balançait. Même si c'était un cerveau, le juge Wargrave était vieux. Aux yeux d'Armstrong, la situation exigeait un homme d'action.

Il se décida :

— Lombard, je peux vous parler une minute ?

Philip tressaillit.

— Bien sûr, fit-il.

Les deux hommes quittèrent la terrasse et s'acheminèrent vers la mer.

— J'ai besoin d'une consultation, dit Armstrong lorsqu'il fut certain qu'on ne risquait plus de les entendre.

Lombard haussa les sourcils :

— Je n'ai aucune connaissance médicale, mon cher.

— Non, non, je vous parle de la situation générale.

— Alors là, c'est autre chose.

— Franchement, qu'en pensez-vous, de cette situation ? demanda Armstrong.

Lombard réfléchit une minute.

— Elle parle d'elle-même, non ? répondit-il enfin.

— Quelle est votre opinion sur la mort de cette femme ? Vous êtes d'accord avec la théorie de Blore ?

Philip souffla une bouffée de fumée :

— Elle est tout à fait plausible... prise isolément.

— Très juste.

Armstrong parut soulagé. Philip Lombard n'était pas un imbécile.

Ce dernier poursuivit :

— C'est-à-dire, si on part du principe que Mr et Mrs Rogers ont un beau jour commis un meurtre en toute impunité. Et je ne vois rien d'impossible là-dedans. Qu'est-ce qu'ils ont fait au juste, selon vous ? Ils ont empoisonné la vieille ?

– C'est peut-être plus simple que ça, répondit Armstrong d'une voix lente. Ce matin, j'ai demandé à Rogers de quoi souffrait cette miss Brady. Sa réponse m'a ouvert des horizons. Inutile d'entrer dans des détails techniques, mais on soigne certains cas de troubles cardiaques au nitrite d'amyle. En cas de crise, on casse une ampoule de nitrite qu'on fait inhaler au malade. Si on n'administre pas le nitrite d'amyle... ma foi, les conséquences risquent fort d'être fatales.

– Pas plus difficile que ça..., murmura Philip Lombard, pensif. Ça devait être... assez tentant.

Le médecin acquiesça :

– Oui, pas de geste criminel à proprement parler. Pas d'arsenic à obtenir et à administrer... rien de concret – une simple passivité ! Rogers a couru chercher un médecin en pleine nuit, et le couple avait ainsi la quasi-assurance que personne ne découvrirait jamais le pot aux roses.

– Et même si quelqu'un le découvrait, on ne pourrait jamais rien prouver contre eux, ajouta Philip Lombard.

Soudain, il fronça les sourcils :

– Mais j'y pense... voilà qui explique bien des choses.

– Je vous demande pardon ? fit Armstrong, intrigué.

– Je veux dire... que ça explique l'île du Nègre. Il y a des crimes dont on ne peut pas épingler les auteurs. Exemple : celui des Rogers. Autre exemple : celui du vieux Wargrave, qui a commis son meurtre dans les strictes limites de la loi.

– Vous croyez donc à cette histoire ? dit vivement Armstrong.

Philip Lombard sourit :

– Oh ! oui, j'y crois. Wargrave a bel et bien assassiné Edward Seton, aussi sûrement que s'il lui avait planté un stylet en plein cœur ! Mais il a eu l'intelligence de le faire en robe et perruque, du haut de sa chaire de juge. On ne peut donc pas l'épingler par les voies habituelles.

Un flash fulgurant traversa l'esprit d'Armstrong :

Meurtre à l'hôpital. Meurtre sur la table d'opération. Aucun risque... non, pas l'ombre d'un risque !

— D'où Mr O'Nyme..., était en train de dire Philip Lombard. D'où l'île du Nègre !

Armstrong prit une profonde inspiration :

— Nous arrivons là au cœur du problème. Dans quel but nous a-t-on attirés ici ?

— À *votre* avis ? riposta Philip Lombard.

— Revenons un instant sur la mort de cette femme, dit Armstrong avec brusquerie. Quelles sont les hypothèses possibles ? Primo : Rogers l'a tuée parce qu'il craignait qu'elle ne vende la mèche. Secundo : dans un moment d'égarement, elle a choisi l'issue la plus simple.

— Le suicide, hein ?

— Qu'est-ce que vous en dites ? demanda Armstrong.

— J'en dis que ce serait possible, oui... *s'il n'y avait pas la mort de Marston*, répliqua Lombard. Deux suicides en l'espace de douze heures, c'est un peu gros à avaler ! Et si vous voulez me faire croire qu'Anthony Marston, jeune chien fou sans états d'âme et pratiquement sans cervelle, a été si bouleversé d'avoir fauché deux gosses qu'il a décidé de se supprimer ... eh bien, laissez-moi rire un bon coup ! D'ailleurs, comment se serait-il procuré le poison ? Pour autant que je sache, le cyanure de potassium n'est pas le genre de produit qu'on trimbale dans la poche de son veston. Mais ça, c'est votre rayon.

— Aucun individu sensé ne transporte du cyanure de potassium. Sauf s'il s'agit de quelqu'un qui veut détruire un nid de guêpes...

— Un jardinier plein d'ardeur ou un propriétaire terrien, c'est ça ? Là encore, pas Anthony Marston. À mon avis, ce cyanure mérite quelques éclaircissements. Ou bien Anthony Marston était venu ici avec l'intention de se suicider, auquel cas il avait pris ses dispositions... ou alors...

— Ou alors ?

Philip Lombard sourit de toutes ses dents :

– Pourquoi m'obliger à le dire ? Vous l'avez sur le bout de la langue ! *Anthony Marston a été assassiné, évidemment.*

*

Le Dr Armstrong respira à fond :

– Et Mrs Rogers ?

– Je pourrais arriver à croire – difficilement – au suicide d'Anthony s'il n'y avait pas Mrs Rogers, dit Lombard d'une voix lente. Je pourrais aussi croire – facilement – au suicide de Mrs Rogers s'il n'y avait pas Anthony Marston. Je pourrais encore croire que Rogers s'est débarrassé de sa femme... s'il n'y avait pas la mort inattendue d'Anthony Marston. En fait, ce qu'il nous faut, c'est une théorie qui explique ces deux décès si rapprochés.

– Je peux peut-être vous mettre sur la voie, dit Armstrong.

Et il expliqua comment Rogers lui avait signalé la disparition des deux figurines de porcelaine.

– Oui, les petits nègres en porcelaine..., murmura Lombard. Il y en avait dix hier soir au dîner, c'est un fait. Et vous dites qu'il n'en reste plus que huit ?

Le Dr Armstrong récita :

– *Dix petits nègres s'en furent dîner,*
L'un d'eux but à s'en étrangler
– *n'en resta plus que neuf.*
Neuf petits nègres se couchèrent à minuit,
L'un d'eux à jamais s'endormit
– *n'en resta plus que huit.*

Les deux hommes se regardèrent. Philip Lombard sourit et jeta sa cigarette au loin :

– Ça colle bougrement trop bien pour être une coïncidence ! Anthony Marston est mort par asphyxie – ou par étranglement – hier soir après le dîner, et la mère Rogers s'est si bien endormie... qu'elle ne s'est jamais réveillée.

– Conclusion ? demanda Armstrong.

– Conclusion, il y a une autre sorte de nègre parmi nous.

Le mouton noir ! X ! Mr O'Nyme ! A.N. O'Nyme ! Le Cinglé Anonyme en Liberté !

— Ah ! fit Armstrong avec un soupir de soulagement. Nous sommes donc bien d'accord. Mais vous voyez ce qui en découle ? Rogers nous a juré qu'il n'y avait personne d'autre que nous, sa femme et lui sur cette île.

— Rogers se trompe ! Ou peut-être qu'il ment !

Armstrong secoua la tête :

— Je ne pense pas qu'il mente. Cet homme a peur. Il est aux trois quarts mort de peur.

Philip Lombard acquiesça :

— Pas de canot à moteur ce matin. Ça colle avec le reste. À l'évidence, cela fait encore partie des petites dispositions de Mr O'Nyme. L'île du Nègre doit rester isolée jusqu'à ce que Mr O'Nyme ait terminé son boulot.

Armstrong avait pâli :

— Vous vous rendez compte... que cet homme doit être fou à lier !

— Mais il y a une chose à laquelle Mr O'Nyme n'a pas pensé, décréta Philip Lombard d'un ton changé.

— Quoi donc ?

— Cette île n'est qu'un rocher plus ou moins dénudé. Nous aurons vite fait de la fouiller. Et nous ne tarderons pas à débusquer le sieur A.N. O'Nyme.

— Il doit être dangereux ! se récria le Dr Armstrong.

Philip Lombard éclata de rire :

— Dangereux ? Qui a peur du grand méchant loup ? C'est *moi* qui serai dangereux quand je lui mettrai la main dessus !

Après un silence, il ajouta :

— Nous avons intérêt à mettre Blore dans le coup. Il nous sera utile pour l'épingler. Pas question d'en parler aux femmes. Quant aux autres, le général est gâteux et le seul talent du vieux Wargrave, c'est l'inertie sentencieuse. À nous trois, nous serons bien assez grands garçons pour nous en tirer.

8

Blore se rendit aussitôt à leurs arguments. Et se laissa enrôler sans difficulté :

– Ça change tout, ce que vous venez de me raconter à propos des figurines de porcelaine. C'est de la folie furieuse, voilà ce que c'est ! Il n'y a qu'une chose... Vous ne pensez pas que l'idée de ce O'Nyme, ç'ait été de sous-traiter le boulot, si on peut dire ?

– Expliquez-vous, mon vieux.

– Voilà comment je vois les choses. Hier soir, après le coup du gramophone, ce jeunot de Marston panique et s'empoisonne. Rogers, *lui*, panique aussi et... zigouille sa femme ! Tout ça conformément au plan de A.N.O'N.

Armstrong secoua la tête. Il souleva le problème du cyanure. Blore admit l'objection :

– C'est vrai, j'avais oublié ce détail. Ça n'est pas un truc qu'on balade couramment sur soi. Mais alors, comment est-ce qu'il a atterri dans son verre ?

– J'ai réfléchi au problème, répondit Lombard. Hier soir, Marston a bu plusieurs whiskies. Entre l'avant-dernier et le dernier, il y a eu un laps de temps pendant lequel son verre a traîné sur une table. Je crois – sans en être sûr à cent pour cent – que c'était sur la petite table, près de la fenêtre. Celle-ci était ouverte. Quelqu'un a très bien pu verser une dose de cyanure dans le verre.

– Sans qu'aucun de nous l'ait vu ? s'exclama Blore, sceptique.

– Nous étions tous... assez pris par ailleurs, répliqua Lombard d'un ton ironique.

– C'est vrai, approuva lentement Armstrong. Nous venions tous d'être accusés de crimes variés. Nous arpentions la pièce, incapables de tenir en place. Nous discutions, indignés, uniquement préoccupés par nos affaires. Je pense que c'était *faisable*...

Blore haussa les épaules :

– Apparemment, ça a même été fait ! Bon, mettons-nous au boulot. Personne n'a un revolver, par hasard ? Non, ce serait trop beau.

– J'en ai un, dit Lombard en tapotant sa poche.

Blore écarquilla les yeux.

– Vous trimbalez toujours votre artillerie avec vous ? s'enquit-il, l'air de ne pas y toucher.

– L'habitude..., répondit Lombard. J'ai roulé ma bosse dans des endroits plutôt malsains, vous savez.

– Ah ! fit Blore. En tout cas, vous ne l'avez probablement jamais roulée dans un endroit aussi malsain que celui où vous vous trouvez à l'heure qu'il est ! Si un déséquilibré se cache sur cette île, il doit avoir sur lui tout un arsenal d'armes à feu – sans compter un poignard ou deux pour faire bonne mesure.

– Vous n'êtes pas forcément dans le vrai, Blore, toussota Armstrong. Les fous homicides sont souvent des gens tout ce qu'il y a de paisibles et effacés. Des types charmants.

– Je n'ai pas l'impression que ce soit le genre de celui-ci, Dr Armstrong, grommela Blore.

*

Les trois hommes entreprirent de prospecter l'île.

L'opération s'avéra encore plus simple que prévu. Du côté nord-ouest, face à la côte, les falaises s'enfonçaient à pic dans la mer, sans aucune anfractuosité.

Pour le reste, il n'y avait pas d'arbres et très peu d'abris naturels. Les trois hommes procédèrent avec méthode et application, passant le sol au peigne fin depuis le sommet de l'île jusqu'au bord de l'eau, scrutant les rochers en quête de la moindre irrégularité pouvant indiquer l'entrée d'une grotte. Mais il n'y avait pas de grottes.

Longeant le rivage, ils arrivèrent finalement à l'endroit où le général Macarthur, assis, contemplait la mer. C'était un coin très paisible, où l'on était bercé par le clapotis des vagues qui léchaient les rochers. Le vieil homme se tenait très droit, les yeux fixés sur l'horizon.

Il ignora les nouveaux arrivants. Ce manque total de réaction mit l'un d'eux – au moins – un peu mal à l'aise.

« C'est pas naturel, ça, songea Blore à part lui. On dirait qu'il est en transe. »

Il se racla la gorge et tenta d'engager la conversation :

– Un joli petit coin tranquille que vous avez trouvé là.

Le général fronça les sourcils. Il lança un bref coup d'œil par-dessus son épaule :

– Il reste si peu de temps... si peu de temps. J'insiste vraiment pour qu'on ne me dérange pas.

– Nous n'avons pas l'intention de vous déranger, fit Blore d'un ton jovial. Nous faisons juste le tour de l'île, comme qui dirait. Pour le cas où quelqu'un s'y cacherait, vous comprenez.

Le général plissa le front.

– Vous ne comprenez pas..., marmonna-t-il. Vous ne comprenez rien du tout. Éloignez-vous, je vous en prie.

Blore battit en retraite.

– Il est timbré, dit-il aux deux autres quand il les eut rejoints. Inutile de perdre son temps à lui parler.

– Qu'est-ce qu'il a dit ? questionna Lombard avec une pointe de curiosité.

Blore haussa les épaules ;

– Quelque chose comme quoi il n'y avait plus beaucoup de temps et qu'il ne voulait pas être dérangé.

Le Dr Armstrong fronça les sourcils.

– Je me demande, murmura-t-il. Je me demande ce qu'il...

*

La fouille de l'île était pratiquement terminée. Juchés sur le point culminant, les trois hommes observaient la côte. Il n'y avait pas d'embarcations en vue. Le vent fraîchissait.

– Aucun bateau de pêche n'est sorti, maugréa Lombard.

Une tempête se prépare. C'est diablement embêtant qu'on ne soit pas en vue du village. On aurait pu envoyer des signaux, faire quelque chose...

– On pourrait peut-être quand même allumer un feu cette nuit ? proposa Blore.

– La vacherie, c'est que Mr O'Nyme a dû parer à toute éventualité, répondit Lombard, le front soucieux.

– Comment ça ?

– Est-ce que je sais ? En faisant croire à une bonne blague, par exemple. On doit nous laisser mariner ici, ne pas tenir compte de nos signaux, etc. On a peut-être même raconté au village qu'il y avait un pari à la clef. Bref, un bobard quelconque.

– Vous pensez qu'ils auraient gobé ça ? fit Blore, dubitatif.

– C'est plus facile à croire que la vérité ! grinça Lombard. Si on avait dit aux villageois que l'île devait rester isolée jusqu'à ce que Mr Anonyme O'Nyme ait tranquillement assassiné tous ses invités, vous pensez qu'ils y auraient cru ?

– Il y a des moments où je n'arrive pas à y croire moi-même, marmonna le Dr Armstrong. Et pourtant...

– *Et pourtant...* c'est exactement le cas ! ricana Philip Lombard. Vous l'avez dit, docteur !

Blore contemplait les flots, au pied de la falaise :

– Personne ne pourrait grimper par là, j'imagine ?

Armstrong secoua la tête :

– Ça m'étonnerait. C'est à pic. D'ailleurs, où le type qui ferait ça pourrait-il se cacher ?

– Il y a peut-être une cavité au pied de la falaise, hasarda Blore. Si nous avions une barque, nous pourrions faire le tour de l'île à la rame.

– Si nous avions une barque, nous serions déjà à mi-chemin de la côte ! riposta Lombard.

– Très juste !

– Nous ferions quand même aussi bien d'ausculter cette falaise, décréta soudain Lombard. Il n'y a qu'un seul endroit où il *pourrait* y avoir un renfoncement, et c'est juste en dessous, un peu à droite. Si vous pouvez trouver une corde, vous me ferez descendre et j'en aurai le cœur net.

– Autant savoir à quoi s'en tenir, c'est vrai, acquiesça Blore. Même si ça paraît absurde à première vue ! Je vais voir ce que je peux dénicher.

D'un pas vif, il redescendit vers la maison.

Lombard contempla le ciel. Les nuages commençaient à s'amonceler. Le vent soufflait avec plus de force.

Il lança à Armstrong un regard oblique :

– Vous êtes bien silencieux, docteur. À quoi pensez-vous ?

– Je me demandais..., répondit Armstrong d'une voix lente. Je me demandais jusqu'à quel point le vieux Macarthur est timbré...

*

Vera n'avait pas tenu en place de toute la matinée. Elle avait évité Emily Brent, pour qui elle éprouvait désormais une aversion qui lui donnait la chair de poule.

Miss Brent, de son côté, s'était installée dans un fauteuil à l'angle de la maison afin d'être à l'abri du vent. Elle tricotait.

Chaque fois que Vera pensait à elle, il lui semblait voir un pâle visage de noyée aux cheveux emmêlés d'algues – un visage qui avait été beau, d'une beauté provocante, peut-être – et qui était maintenant inaccessible à la pitié ou à la terreur.

Et Emily Brent, placide et la conscience en repos, tricotait.

Sur la terrasse principale, le juge Wargrave était tassé dans un fauteuil à haut dossier. Il avait la tête rentrée dans les épaules.

Quand elle le regardait, Vera voyait un homme debout dans le box des accusés – un jeune homme aux cheveux blonds, aux yeux bleus, à l'air égaré. Edward Seton. Et, en imagination, elle voyait le juge poser de ses vieilles mains ridées la toque noire sur sa tête et commencer à prononcer la sentence...

Au bout d'un moment, Vera descendit lentement vers la mer. Longeant le rivage, elle se dirigea vers la pointe de l'île, là où était assis un vieil homme qui fixait l'horizon.

Comme elle approchait, le général Macarthur s'ébroua. Il tourna la tête... Il y avait dans son regard un curieux mélange d'incertitude et d'appréhension. Elle en fut saisie. Il la dévisagea un moment avec insistance.

« Comme c'est bizarre ! pensa-t-elle. On dirait presque qu'il *sait*... »

– Ah, c'est vous ! dit-il. Vous êtes venue...

Vera s'assit à côté de lui.

– Ça vous plaît de rester là à contempler la mer ? demanda-t-elle.

Il hocha doucement la tête.

– Oui, répondit-il. C'est agréable. C'est un endroit idéal pour attendre.

– Pour attendre ? s'étonna Vera. Vous attendez quoi ?

– La fin, dit-il avec douceur. D'ailleurs, vous le savez bien, n'est-ce pas ? Je ne me trompe pas ? Nous attendons tous la fin.

– Que voulez-vous dire ? balbutia-t-elle.

– *Aucun de nous ne quittera cette île*, répondit le général Macarthur avec gravité. C'est cela, le plan. Et vous le savez parfaitement. Mais ce que vous n'arrivez peut-être pas à comprendre, c'est le soulagement que ça procure !

– Le soulagement ? répéta Vera, interdite.

– Oui. Bien sûr, vous êtes très jeune... vous n'avez pas encore atteint ce stade. Mais ça viendra ! Le merveilleux soulagement de savoir qu'on en a fini avec tout... qu'on n'a pas à porter plus longtemps son fardeau. Vous éprouverez ça, vous aussi, un jour...

– Je ne vous comprends pas, répliqua Vera d'une voix rauque.

Ses doigts étaient agités d'un tressaillement spasmodique. Elle eut soudain peur, peur de ce vieux militaire taciturne.

– Voyez-vous, j'aimais Leslie, reprit-il d'une voix rêveuse. Je l'aimais infiniment...

– Leslie, c'était votre femme ? l'interrogea Vera.

– Oui, ma femme... Je l'aimais. J'étais fier d'elle. Elle était si jolie... si gaie.

Il resta silencieux une bonne minute, puis il reprit :

– Oui, j'aimais Leslie. C'est pour ça que j'ai fait ce que j'ai fait.

– Vous voulez dire... ? murmura Vera.

Elle s'interrompit.

Le général Macarthur acquiesça lentement :

– Ça ne sert plus à rien de le nier... maintenant que nous allons tous mourir. *J'ai envoyé Richmond à la mort*. Dans un sens, c'était un meurtre. Curieux. Un *meurtre*... moi qui ai toujours été si respectueux de la loi ! Oh, je n'avais pas vu les choses comme ça, à l'époque. Je n'avais aucun remords. « Rudement bien fait pour lui ! », voilà ce que je me disais. Mais après...

– Après ? insista Vera d'une voix dure.

Il secoua la tête d'un air vague. Il semblait perplexe, un peu désemparé :

– Je ne sais pas. Je... je ne sais pas. Tout a changé. Je ne sais pas si Leslie a jamais deviné... je ne crois pas. Mais voyez-vous, je n'arrivais plus à savoir ce qu'elle pensait. Elle était loin, très loin – si loin de moi qu'elle en était devenue inaccessible. Et puis elle est morte... et je me suis retrouvé seul...

– Seule... seule..., répéta Vera – et les rochers lui renvoyèrent sa voix en écho.

– Vous serez heureuse, vous aussi, quand viendra la fin, reprit le général Macarthur.

Vera se leva.

– Je ne vois pas ce que vous voulez dire ! fit-elle d'un ton cassant.

– Je *sais*, mon enfant. Je sais...

– Non, vous ne savez rien. Vous n'y comprenez rien du tout...

Le général Macarthur se remit à contempler la mer. Il paraissait avoir oublié Vera et sa présence.

D'une voix très douce, presque dans un souffle, il murmura :

— Leslie... ?

                                *

Lorsque Blore revint de la maison avec un rouleau de corde sous le bras, il retrouva Armstrong au même endroit, perdu dans la contemplation des profondeurs.

— Où est Mr Lombard ? s'enquit-il, essoufflé.

— Parti vérifier je ne sais quelle théorie, répondit négligemment Armstrong. Il sera de retour dans une minute. Dites-moi, Blore, je suis préoccupé.

— Préoccupé, on l'est tous, non ?

Le médecin eut un geste impatient de la main :

— Bien sûr... bien sûr. Ce n'est pas ce que je veux dire. Je pense au vieux Macarthur.

— Pourquoi ? Qu'est-ce qu'il a ?

— Ce que nous cherchons, c'est un déséquilibré. *Alors, Macarthur, qu'est-ce que vous en dites ?*

— C'est un fou homicide, d'après vous ? s'exclama Blore, incrédule.

— Je n'irai pas jusque-là, répondit Armstrong avec embarras. En aucun cas. Mais, après tout, je ne suis pas spécialiste des maladies mentales. Je n'ai pas vraiment eu de conversation avec lui... je ne l'ai pas observé sous cet angle-là.

— Gâteux, je veux bien ! marmonna Blore. Mais de là à affirmer...

Avec un léger effort, comme un homme qui reprend ses esprits, Armstrong l'interrompit :

— Vous avez sans doute raison ! Bon sang, il *doit bien y avoir* quelqu'un qui se cache sur cette île ! Ah, voilà Lombard.

Ils l'encordèrent avec soin.

– Je vais m'aider au maximum, dit Lombard. Veillez au grain pour si jamais la corde se tendait subitement.

Ils observaient depuis un moment la progression de Lombard, quand Blore fit remarquer :

– Il est agile comme un singe, non ?

Sa voix avait une intonation bizarre.

– Il a dû faire de l'escalade dans sa jeunesse, diagnostiqua le médecin.

– Possible.

Après un silence, l'ex-inspecteur reprit :

– Drôle de type, quand même. Savez pas ce que je pense ?

– Non, quoi donc ?

– Il n'est pas franc du collier !

– Comment ça ? dit Armstrong, sceptique.

Blore émit un grognement :

– Je ne sais pas... pas au juste. Mais ce qu'il y a de sûr, c'est que je ne lui confierais pas mes sous.

– Que voulez-vous, je suppose qu'il a mené une existence plutôt aventureuse.

– Et moi, je vous parie que certaines de ses aventures doivent être du genre dont il vaut mieux pas se vanter, répliqua Blore.

Il se tut, puis ajouta :

– Est-ce que, par hasard, vous avez apporté un revolver dans vos bagages, docteur ?

Armstrong ouvrit des yeux ronds :

– Moi ? Seigneur, non ! Pourquoi diable est-ce que j'aurais fait ça ?

– *Et Mr Lombard, alors ?*

– L'habitude, j'imagine..., répondit Armstrong avec hésitation.

Blore ricana.

Brusquement, la corde se raidit. Pendant quelques instants, les deux hommes eurent trop à faire pour discuter.

– Il y a habitudes *et* habitudes ! reprit Blore une fois la tension relâchée. Que Mr Lombard emporte un revolver dans des contrées reculées, d'accord... *plus* un réchaud à pétrole, un sac de couchage et une provision d'insecticide, ça va de soi ! Mais l'habitude ne le pousserait pas pour autant à venir ici avec tout son barda ! Il n'y a que dans les romans que les gens promènent un revolver à tout bout de champ.

Perplexe, le Dr Armstrong secoua la tête.

Ils se penchèrent pour observer la progression de Lombard. Son exploration de la paroi était minutieuse, mais ils virent tout de suite qu'elle était vaine. Il ne tarda pas à remonter et se hissa par-dessus le bord de la falaise. Il essuya son front en sueur :

– Eh bien, il ne reste plus trente-six solutions, dit-il. C'est la maison ou rien.

*

La perquisition de la maison ne présenta pas de difficultés. Ils commencèrent par les dépendances, puis passèrent à l'habitation principale. Le mètre-ruban de Mrs Rogers, trouvé dans un placard de la cuisine, leur fut d'un précieux secours. Mais ils ne découvrirent aucun recoin, aucune double cloison douteuse. Tout était strict et net dans cette maison moderne où rien ne pouvait être dissimulé. Ils avaient d'abord fouillé le rez-de-chaussée. En montant dans les chambres, ils aperçurent, par la fenêtre du palier, Rogers qui apportait un plateau de cocktails sur la terrasse.

– Étonnante créature, ce brave domestique, dit Philip Lombard d'un ton badin. Il continue son service comme si de rien n'était.

– Rogers est un majordome de premier ordre, déclara Armstrong, il faut lui rendre cette justice !

– Et sa femme était un véritable cordon bleu, renchérit Blore. Ce dîner, hier soir...

Ils entrèrent dans la première chambre.

Cinq minutes plus tard, ils se retrouvaient sur le palier. Personne n'était caché là... aucune cachette n'y était d'ailleurs possible.

– Il y a un petit escalier, là, fit observer Blore.

– Il mène chez les domestiques, expliqua le Dr Armstrong.

– Il doit y avoir des combles – pour les réservoirs d'eau et tout ce qui s'ensuit, dit Blore. On a encore une chance là-haut... mais c'est la seule qui nous reste !

C'est alors qu'ils entendirent du bruit au-dessus de leurs têtes. Des pas légers, furtifs.

Ils l'entendirent tous les trois. Armstrong saisit le bras de Blore. Lombard mit un doigt sur ses lèvres :

– Chut ! Écoutez...

Le bruit recommença : quelqu'un se déplaçait là-haut – furtivement, à pas feutrés.

– Il est dans la chambre, chuchota Armstrong. Dans la pièce où se trouve le corps de Mrs Rogers.

– Évidemment ! répondit Blore sur le même ton. C'est la meilleure cachette qu'il pouvait choisir ! Personne ne risquait de venir le déranger. Attention... faites le moins de bruit possible.

Ils montèrent l'escalier à pas de loup.

Ils s'arrêtèrent sur le petit palier, devant la porte de la chambre. Oui, il y avait bien quelqu'un à l'intérieur. Un léger grincement leur parvint.

– Allons-y ! chuchota Blore.

Il ouvrit la porte à la volée et se rua dans la pièce, les deux autres sur ses talons.

Tous trois s'arrêtèrent net.

Rogers était là, les bras chargés de vêtements.

*

Blore fut le premier à se ressaisir :

– Désolé, euh... Rogers. Nous avons entendu quelqu'un bouger là-dedans et nous nous sommes dit que... euh...

Il se tut.

– Je vous prie de m'excuser, messieurs, dit Rogers. Je déménageais mes affaires. Je pense que vous ne verrez pas d'objection à ce que je prenne une des chambres libres à l'étage au-dessous ? La plus petite.

Comme c'était à lui que le domestique s'adressait, Armstrong répondit :

– Bien sûr. Bien sûr. Ne vous interrompez pas pour nous.

Il évita de regarder la silhouette, recouverte d'un drap, qui gisait sur le lit.

– Je vous remercie, monsieur, dit Rogers.

Les bras chargés de ses affaires, il sortit de la pièce et descendit l'escalier.

Armstrong s'approcha du lit et, soulevant le drap, regarda le visage paisible de la morte. Ses traits n'exprimaient plus la peur. Simplement le néant.

– Dommage que je n'aie pas mon matériel ici, commenta Armstrong. J'aurais bien voulu savoir de quelle drogue il s'agissait.

Il se tourna vers les deux autres :

– Finissons-en. Je donnerais ma tête à couper que nous ne trouverons rien.

Blore se débattait avec les verrous d'un « trou d'homme ».

– Ce gars-là se déplace quand même de façon bougrement silencieuse, grommela-t-il. Il y a deux minutes, nous l'avons vu sur la terrasse. Et personne ne l'a entendu monter.

– C'est sans doute pour ça que nous avons cru qu'il y avait un intrus qui s'agitait ici, déclara Lombard.

Blore disparut dans un caverneux trou noir. Lombard sortit une lampe-torche de sa poche et le suivit.

Cinq minutes plus tard, trois hommes émergeaient sous les combles. Ils étaient sales, couverts de toiles d'araignées, lugubres.

À part eux huit, il n'y avait personne sur l'île.

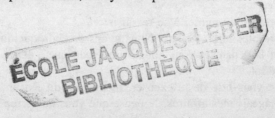

9

– Ainsi, nous nous sommes fourré le doigt dans l'œil, dit Lombard d'une voix lente. Fourré le doigt dans l'œil sur toute la ligne ! Nous avons bâti de toutes pièces un cauchemar, échafaudé une théorie délirante – et tout ça à cause de la banale coïncidence de deux décès !

– N'empêche que l'argument de base tient toujours, déclara gravement Armstrong. Je suis médecin, et je m'y connais en suicides. Anthony Marston n'était pas du genre à se tuer.

– Ça ne pourrait pas avoir été un accident, par hasard ? lâcha Lombard sans trop y croire.

Blore émit un grognement peu convaincu :

– Fichtrement bizarre, comme accident.

Un silence suivit.

– Pour ce qui est de la femme..., reprit Blore qui s'interrompit aussitôt.

– Mrs Rogers ?

– Oui. Dans son cas, il est possible qu'il se soit agi d'un accident, non ?

– Un accident ? répéta Philip Lombard. Comment ça ?

Blore parut un peu embarrassé. Son visage rouge brique prit une teinte plus soutenue.

– Écoutez, docteur, bredouilla-t-il, vous lui avez bien donné une drogue... ?

Armstrong le regarda avec étonnement :

– Une drogue ? Qu'est-ce que vous entendez par là ?

– Hier soir. Vous avez dit vous-même que vous lui aviez donné quelque chose pour la faire dormir.

– Ah ! oui... Un calmant inoffensif.

– Quoi, exactement ?

– Une légère dose de trional. Un produit parfaitement bénin.

Blore devint encore plus rouge :

– Écoutez... je n'irai pas par quatre chemins... Vous ne lui en auriez pas administré une trop forte dose, des fois ?

– Je ne vois pas où vous voulez en venir ! s'emporta le Dr Armstrong.

– Ce n'est pas envisageable, que vous ayez commis une erreur ? insista Blore. Ce sont pourtant des choses qui arrivent, pas vrai ?

– Jamais de la vie ! répliqua Armstrong, acerbe. C'est une supposition absurde.

Il s'interrompit un instant avant d'ajouter, d'un ton mordant :

– Ou peut-être insinuez-vous que je lui en aurais donné trop... exprès ?

Philip Lombard s'interposa :

– Dites donc, vous deux, gardons la tête froide. Ne commençons pas à lancer des accusations à tort et à travers.

– Je suggérais seulement que le docteur avait pu commettre une erreur.

Le Dr Armstrong se força à sourire et découvrit ses dents en un rictus dépourvu de gaieté :

– Les médecins ne peuvent pas se permettre ce genre d'erreurs, mon ami.

– À en croire le disque d'hier soir, ce ne serait pas la première que vous auriez commise ! dit Blore en détachant ses mots.

Armstrong blêmit.

– À quoi rime cette agressivité ? riposta Philip Lombard, exaspéré. Nous sommes tous dans le même bateau. Nous devons nous serrer les coudes. D'ailleurs, et votre histoire de faux serment, qu'est-ce que vous en faites ?

Blore fit un pas en avant, les poings serrés.

– Faux serment, tu parles ! gronda-t-il d'une voix sourde. C'est un mensonge dégueulasse ! Vous pouvez toujours essayer de me faire taire, Mr Lombard, mais il y a certaines choses que j'aimerais bien savoir... et l'une d'elles vous concerne !

Lombard haussa les sourcils :

– Me concerne, moi ?

– Je veux, oui ! J'aimerais bien savoir pourquoi vous avez apporté un revolver ici, où vous étiez censé être en villégiature chez des amis.

– Vous tenez vraiment à le savoir ?

– Oui, Mr Lombard, j'y tiens.

– Vous voulez que je vous dise un truc, Blore ? repartit Lombard de façon inattendue. Eh bien, vous êtes loin d'être aussi bête que vous en avez l'air.

– Ça n'est pas impossible. Alors, ce revolver ?

Lombard sourit :

– Je l'ai apporté parce que je m'attendais à tomber dans un panier de crabes.

– Vous ne nous avez pas raconté ça hier soir, dit Blore d'un ton soupçonneux.

Lombard secoua la tête.

– Vous nous avez caché quelque chose ? insista Blore.

– D'une certaine manière, oui, dit Lombard.

– Eh bien, allez-y ! Videz votre sac.

– Je vous ai laissés croire que j'avais été invité ici dans les mêmes conditions que la plupart d'entre vous, répondit Lombard d'une voix lente. Ce n'est pas tout à fait exact. En fait, j'ai été contacté par un petit Juif... un dénommé Morris. Il m'a proposé cent guinées pour venir ici et ouvrir l'œil – j'avais soi-disant la réputation d'être l'homme des situations... hasardeuses.

– Et alors ? le talonna Blore avec impatience.

Lombard eut un large sourire :

– C'est tout.

– Il a quand même bien dû vous en dire plus que ça ! intervint le Dr Armstrong.

– Oh ! non, rien du tout. Fermé comme une huître, le gars. C'était à prendre ou à laisser, texto. J'étais fauché. J'ai accepté.

Blore n'avait pas l'air convaincu.

– Pourquoi ne pas nous avoir dit ça hier soir ?

Lombard eut un haussement d'épaules éloquent :

– Comment savoir, très cher, si ce n'était pas précisément en vue de cette soirée que je me trouvais ici ? Dans le doute, j'ai adopté un profil bas et raconté une histoire passe-partout.

– Mais maintenant... vous voyez les choses autrement ? susurra le Dr Armstrong, finaud.

L'expression de Lombard se modifia. Son visage s'assombrit, se durcit.

– Oui, dit-il. Je crois maintenant que je suis logé à la même enseigne que vous. Ces cent guinées n'étaient que le croûton de fromage que me tendait Mr O'Nyme pour m'attirer dans le piège comme les copains.

Il articula :

– *Car nous sommes pris au piège...* J'en mettrais ma main au feu ! La mort de Mrs Rogers... celle de Tony Marston... les petits nègres qui disparaissent de la table de la salle à manger ! Oh oui, la main de Mr O'Nyme est bien visible... *mais où diable se cache Mr O'Nyme lui-même ?*

En bas, un coup de gong solennel annonça le déjeuner.

*

Rogers se tenait près de la porte de la salle à manger. Voyant les trois hommes descendre l'escalier, il s'avança vers eux.

– J'espère que le déjeuner ne vous décevra pas trop, dit-il d'une voix sourde et anxieuse. Il y a du jambon et de la langue en gelée, et j'ai fait des pommes de terre à l'eau. Il y a aussi du fromage, des gâteaux secs et des fruits en conserve.

– Ça m'a l'air parfait, approuva Lombard. Il reste donc des provisions ?

– Il y en a des quantités, monsieur... des boîtes de conserve. Le garde-manger est remarquablement garni. Il faut bien, monsieur, parce que, sur une île, on peut être coupé de la côte un bon bout de temps.

Lombard acquiesça sans mot dire.

Tout en suivant les trois hommes dans la salle à manger, Rogers murmura :

– Ça me soucie que Fred Narracott ne soit pas venu aujourd'hui. C'est particulièrement fâcheux.

– Oui, dit Lombard. « Particulièrement fâcheux » est le mot de la situation.

Miss Brent arriva. Elle avait laissé tomber une pelote de laine qu'elle rembobinait avec soin.

– Le temps change, fit-elle remarquer en s'asseyant à table. Il y a beaucoup de vent et la mer moutonne de manière inquiétante.

Le juge Wargrave fit son entrée. Il marchait d'un pas lent et mesuré. Sous ses sourcils broussailleux, il lançait de brefs coups d'œil aux autres convives :

– Vous avez eu une matinée très active, ce me semble.

Il y avait dans sa voix un soupçon de plaisir malin.

Vera Claythorne arriva en courant, légèrement hors d'haleine.

– J'espère que je ne vous ai pas fait attendre, dit-elle vivement. Est-ce que je suis en retard ?

– Vous n'êtes pas la dernière, répondit Emily Brent sur un ton pincé. Le général n'est pas encore là.

Ils s'assirent autour de la table.

Rogers s'adressa à miss Brent :

– Voulez-vous commencer, mademoiselle, ou préférez-vous attendre ?

– Le général Macarthur est en bas, sur le rivage, dit Vera. De toute façon, il n'a sans doute pas entendu le gong. Il... il a un peu la tête ailleurs, aujourd'hui.

– Je vais aller le prévenir que le déjeuner est servi, s'empressa Rogers.

Le Dr Armstrong bondit sur ses pieds.

– J'y vais, dit-il. Commencez sans nous.

Il sortit. Sur le seuil, il entendit encore la voix de Rogers :

– Prendrez-vous du jambon ou de la langue, mademoiselle ?

*

Les cinq personnes assises autour de la table semblaient avoir du mal à trouver un sujet de conversation. Dehors, le vent soufflait en brusques rafales, puis s'apaisait.

– Il va y avoir de la tempête, dit Vera en réprimant un frisson.

Blore apporta sa contribution à la conversation :

– Il y avait un vieux bonhomme, hier, dans le train de Plymouth. Il n'arrêtait pas de dire qu'il allait y avoir un grain. C'est incroyable comme ils connaissent le temps, ces vieux loups de mer.

Rogers fit le tour de la table pour ramasser les assiettes. Soudain, la vaisselle dans les mains, il se figea.

– Il y a quelqu'un qui court..., dit-il d'une voix étrange, effrayée.

Ils l'entendaient tous : un bruit de pas précipités sur la terrasse.

Ils comprirent aussitôt – ils comprirent avant même qu'on le leur dise...

Mus par un même réflexe, ils se levèrent et regardèrent en direction de la porte.

Le Dr Armstrong apparut, hors d'haleine :

– Le général Macarthur...

– Mort !

Le mot, tel un cri, avait jailli de la poitrine de Vera.

– Oui, il est mort..., dit Armstrong.

Un silence suivit. Un long silence.

Sept personnes se regardaient sans trouver quoi dire.

*

La tempête éclata à l'instant où l'on faisait franchir au corps du vieillard le seuil de la maison.

Les autres se tenaient dans le hall.

Soudain, le vent se mit à mugir, et la pluie s'abattit en crépitant.

Tandis que Blore et Armstrong montaient l'escalier avec leur fardeau, Vera Claythorne se détourna brusquement et entra dans la salle à manger déserte.

La pièce était telle qu'ils l'avaient laissée. Le dessert, qu'on n'avait pas touché, attendait sur le buffet.

Vera s'approcha de la table. Deux minutes plus tard, elle était toujours là, figée dans son immobilité, quand Rogers entra sans bruit.

Il tressaillit en la voyant. Ses yeux posaient une question muette.

– Oh ! mademoiselle, balbutia-t-il, je... je venais juste voir...

D'une voix forte, âpre, qui la surprit elle-même, Vera l'interrompit :

– Vous avez raison, Rogers. Regardez par vous-même. *« N'en reste plus que sept... »*

*

On avait allongé le général Macarthur sur son lit.

Après un dernier examen, Armstrong sortit de la chambre et descendit. Il trouva les autres rassemblés dans le salon.

Miss Brent tricotait. Vera Claythorne, postée devant la fenêtre, contemplait la pluie qui fouettait les carreaux. Blore était carré dans un fauteuil, les mains sur les genoux. Lombard tournait en rond comme un ours en cage. À l'autre bout de la pièce, le juge Wargrave, les yeux mi-clos, trônait dans une bergère à oreilles.

Ses paupières se soulevèrent à l'entrée du médecin.

– Alors, docteur ? s'enquit-il d'une voix mordante.

Armstrong était blafard :

– Pas question de crise cardiaque ni de quoi que ce soit du même genre. Macarthur a été frappé à la nuque avec une matraque ou un objet similaire.

Un léger murmure courut à la ronde, et on entendit de nouveau la petite voix précise du juge :

— Avez-vous retrouvé l'arme en question ?

— Non.

— Vous êtes néanmoins certain de ce que vous avancez ?

— Absolument certain.

— Nous savons donc désormais à quoi nous en tenir, déclara posément le juge Wargrave.

Pour ce qui était de savoir qui prenait la situation en main, il ne subsistait guère non plus de doute. Toute la matinée, Wargrave était resté blotti dans son fauteuil, sur la terrasse, étranger à toute activité apparente. À présent, il assumait la direction des opérations avec l'aisance née d'une longue pratique de l'autorité. Incontestablement, c'était lui qui présidait le tribunal.

Il s'éclaircit la gorge et reprit la parole :

— Ce matin, messieurs, pendant que je me reposais sur la terrasse, j'ai été témoin de votre déploiement d'activité. Le but que vous poursuiviez allait de soi. Vous exploriez l'île à la recherche d'un meurtrier inconnu. C'est bien cela ?

— En effet, monsieur, répondit Philip Lombard.

Le juge poursuivit :

— Sans doute êtes-vous parvenu à la même conclusion que moi... à savoir que la mort d'Anthony Marston et celle de Mrs Rogers ne sont ni des accidents ni des suicides. De même, avez-vous certainement abouti à une seconde conclusion, qui concerne le but poursuivi par Mr O'Nyme en nous attirant sur cette île ?

— C'est un fou ! Un maboul ! s'écria Blore d'une voix âpre.

Le juge toussota :

— Cela, c'est une quasi-certitude. Mais qui ne change rien au problème. Notre principal souci doit être de... d'assurer notre sauvegarde.

— Il n'y a personne sur l'île, je vous dis, fit Armstrong d'une voix tremblante. *Personne* !

Le juge se caressa la mâchoire.

— Au sens où vous l'entendez, en effet, dit-il doucement. Je suis moi-même parvenu à cette conclusion ce matin de bonne heure. J'aurais pu vous dire que vos recherches seraient vaines. Néanmoins, je suis absolument persuadé que « Mr O'Nyme » – pour reprendre le nom qu'il s'est choisi – *est bel et bien* sur l'île. Cela ne fait pas l'ombre d'un doute. Étant donné la nature de son projet, qui consiste ni plus ni moins à punir certains individus pour des délits où la justice est impuissante, il n'avait qu'*un seul moyen de mettre ce projet à exécution.* Mr O'Nyme ne pouvait venir sur l'île du Nègre que d'une seule manière.

» C'est clair comme le jour. *Mr O'Nyme est l'un d'entre nous...*

*

— Oh ! non, non, non...

C'était Vera qui avait laissé échapper cette plainte – presque un sanglot.

Le juge braqua sur elle un regard acéré :

— Ma chère mademoiselle, il est grand temps de regarder la réalité en face. Nous courons tous un grave danger. L'un de nous est A.N. O'Nyme. Et nous ne savons pas qui. Sur les dix personnes qui sont venues ici, trois sont définitivement hors de cause. Anthony Marston, Mrs Rogers et le général Macarthur ne peuvent plus être soupçonnés. Nous ne sommes plus que sept. L'un de ces sept-là est – si j'ose m'exprimer ainsi – un petit nègre bidon.

Il s'interrompit et regarda à la ronde :

— Puis-je considérer que vous partagez tous mon analyse ?

— C'est inouï..., murmura Armstrong, mais vous avez probablement raison.

— Ça ne fait aucun doute, renchérit Blore. Et si vous voulez mon avis, j'ai dans l'idée que...

D'un geste vif, le juge Wargrave l'interrompit :

— Nous allons y venir. Pour le moment, tout ce que je

souhaite, c'est établir que nous sommes bien d'accord sur ces bases.

— Votre raisonnement paraît logique, décréta Emily Brent sans cesser de tricoter. Je pense en effet que l'un d'entre nous est possédé du démon.

— Je n'arrive pas à y croire..., murmura Vera. Je n'y arrive pas...

— Lombard ? questionna Wargrave.

— Je suis d'accord, monsieur. À cent pour cent.

Le juge inclina la tête d'un air satisfait :

— À présent, examinons les indices. Tout d'abord, avons-nous des raisons de soupçonner quelqu'un en particulier ? Je crois, Mr Blore, que vous avez quelque chose à dire.

Blore respirait avec difficulté.

— Lombard a un revolver, déclara-t-il. Il nous a raconté des histoires, hier soir. Il l'a reconnu lui-même.

Philip Lombard eut un sourire méprisant :

— J'ai l'impression que je ferais aussi bien de m'expliquer encore une fois.

Ce qu'il fit, de manière brève et concise.

— Où sont vos preuves ? tonna Blore. Il n'y a rien pour corroborer votre histoire.

Le juge toussota.

— Malheureusement, dit-il, nous sommes tous dans le même cas. Nous n'avons que notre parole à offrir.

Il se pencha en avant :

— Aucun d'entre vous n'a encore saisi le côté très particulier de notre situation. À mon sens, il n'y a qu'une seule manière de procéder. Sur la base des éléments dont nous disposons, y a-t-il quelqu'un qui puisse être mis hors de cause ?

— Je suis un médecin réputé, intervint vivement le Dr Armstrong. La seule idée qu'on puisse me soupçonner de...

D'un geste, le juge coupa encore une fois la parole à son interlocuteur pour dire de sa petite voix froide et précise :

— Je suis, moi aussi, un magistrat réputé ! Hélas ! cher

monsieur, cela ne prouve rigoureusement rien ! On a déjà vu des médecins devenir fous. Des juges aussi... Ainsi que des policiers ! ajouta-t-il en regardant Blore.

– En tout cas, dit Lombard, j'imagine que vous laissez les femmes de côté ?

Le juge haussa les sourcils.

– Dois-je comprendre que, pour vous, les femmes ne sauraient être atteintes de folie homicide ? dit-il du fameux ton « acide » que les avocats de la défense connaissaient si bien.

– Bien sûr que non, maugréa Lombard. Mais ça paraît tout de même invraisemblable que...

Il s'interrompit. De sa même voix ténue et aigrelette, le juge Wargrave s'adressa à Armstrong :

– Je présume, Dr Armstrong, qu'une femme aurait été physiquement capable de porter le coup qui a tué ce pauvre Macarthur ?

– Tout à fait capable, répondit le médecin sans s'émouvoir. À condition de disposer de l'instrument adéquat : une matraque en caoutchouc, par exemple, ou un gourdin.

– Cela n'aurait pas exigé un effort excessif ?

– Pas du tout.

Le juge Wargrave tortilla son cou de tortue :

– Les deux autres morts sont dues à l'administration d'un poison. Ce qui, vous en conviendrez, ne requiert qu'un minimum de force physique.

– Vous êtes fou, ma parole ! s'écria Vera, furieuse.

Lentement, le juge tourna la tête. Il posa sur elle le regard détaché de l'homme habitué à soupeser ses semblables.

« Il ne voit en moi qu'un... qu'un vulgaire spécimen, songea Vera. Et... (Cette découverte lui causa une réelle surprise.) Et il ne m'aime pas beaucoup ! »

– Ma chère mademoiselle, était en train de dire le juge d'une voix mesurée, tâchez de maîtriser vos réactions. Je ne vous accuse pas.

Il s'inclina devant miss Brent :

– J'espère, mademoiselle, que je ne vous ai pas offensée

en insistant sur le fait que nous sommes *tous* également suspects ?

Emily Brent tricotait. Elle ne leva pas la tête.

– L'idée qu'on puisse m'accuser d'avoir tué l'un de mes semblables – et à plus forte raison *trois* de mes semblables – est parfaitement absurde pour quiconque me connaît un tant soit peu de réputation, dit-elle d'un ton glacial. Mais je me rends fort bien compte que nous sommes des étrangers les uns pour les autres et que, dans ces conditions, aucun d'entre nous ne peut être disculpé sans preuve formelle. Comme je l'ai déjà dit, il y a un démon parmi nous.

– Nous sommes donc d'accord, déclara le juge. Le critère de la réputation ou de la situation sociale ne peut être un motif d'absolution.

– Eh bien, et Rogers ? demanda Lombard.

Le juge le regarda sans ciller :

– Eh bien quoi, Rogers ?

– À mon avis, il semble à exclure d'emblée.

– Vraiment ? répliqua le juge Wargrave. Et pour quels motifs ?

– Primo, il n'a pas assez de plomb dans la tête, répondit Lombard. Secundo, sa femme est une des victimes.

De nouveau, le juge haussa les sourcils :

– Au cours de ma carrière, jeune homme, des maris ont comparu devant moi, accusés du meurtre de leur femme... *et* ont été reconnus coupables.

– Oh ! je suis d'accord. Assassiner sa femme, ça n'est pas invraisemblable – c'est même quasiment... naturel, si on veut aller par là ! Mais pas dans le cas particulier ! Je peux imaginer Rogers tuant sa femme parce qu'il avait peur qu'elle craque et le dénonce, ou parce qu'il ne la supportait plus, ou encore parce qu'il en pinçait pour une pouliche d'âge moins canonique... Mais je ne le vois pas en Mr O'Nyme-le-dingue, rendant une justice de timbré et commençant par sa propre femme pour un crime qu'ils ont commis ensemble.

– Vous prenez un ouï-dire pour un fait avéré, objecta le

juge Wargrave. Rien ne nous prouve que Rogers et sa femme ont tramé l'assassinat de leur patronne. Il pourrait s'agir là d'une fausse accusation destinée à faire croire que Rogers se trouve dans la même situation que nous tous. La terreur de Mrs Rogers, hier soir, tenait peut-être au fait qu'elle avait compris que son mari battait la campagne.

— Bon, comme vous voudrez, admit Lombard. A.N. O'Nyme, c'est l'un de nous. Pas d'exception admise. Nous remplissons tous les conditions requises.

— Le point que je tiens à faire ressortir, déclara le juge Wargrave, c'est qu'il ne saurait y avoir d'exception fondée sur la *réputation*, la *situation sociale* ou la *probabilité*. Ce qu'il nous faut examiner maintenant, c'est l'éventualité d'éliminer une ou plusieurs personnes sur la base des *faits*. En clair, y a-t-il parmi nous une ou plusieurs personnes qui n'ont pas eu la possibilité d'administrer du cyanure à Anthony Marston, une trop forte dose de somnifère à Mrs Rogers, et qui n'ont pas eu l'occasion d'assener le coup qui a tué le général Macarthur ?

Les traits épais de Blore s'illuminèrent. Il se pencha en avant.

— Ça, monsieur, c'est parlé ! dit-il. La voilà, la bonne méthode ! Voyons voir. Dans le cas du petit Marston, je ne crois pas qu'on arrivera à grand-chose. On a déjà suggéré que quelqu'un aurait pu verser le poison, de l'extérieur, avant qu'il ne remplisse son verre pour la dernière fois. Une personne présente dans la pièce aurait pu le faire encore plus facilement. Je ne me souviens pas si Rogers était dans le salon à ce moment-là, mais tous les autres étaient à pied d'œuvre.

Il marqua un temps avant de poursuivre :

— Prenons maintenant Mrs Rogers. Ceux qui émergent du lot, cette fois-ci, ce sont le mari et le médecin. Pour l'un comme pour l'autre, c'était simple comme bonjour.

Armstrong se leva d'un bond. Il tremblait :

— Je proteste... cette accusation est absolument injustifiée ! Je jure que la dose que j'ai administrée à cette femme était parfaitement...

– Dr Armstrong !

La petite voix aigre était impérieuse. Avec un haut-le-corps, le médecin s'interrompit au milieu de sa phrase. La petite voix poursuivit avec froideur :

– Votre indignation est bien naturelle. Vous devez néanmoins admettre qu'il faut regarder les choses en face. Vous comme Rogers, vous *auriez pu* administrer la dose fatale sans la moindre difficulté. Considérons maintenant la situation des autres personnes présentes. Quelle possibilité ai-je eue, ont eue l'inspecteur Blore, miss Brent, miss Claythorne et Mr Lombard d'administrer le poison ? Peut-on éliminer catégoriquement l'un ou l'autre d'entre nous ? ... Je ne le pense pas.

– Je ne l'ai même pas approchée, cette femme ! s'exclama Vera, ivre de rage. Vous en êtes tous témoins.

Le juge Wargrave attendit une minute avant de poursuivre :

– Pour autant que ma mémoire soit fidèle, les faits sont les suivants – corrigez-moi si je me trompe. Anthony Marston et Mr Lombard ont transporté Mrs Rogers sur le divan, et le Dr Armstrong l'a auscultée. Il a envoyé Rogers chercher du cognac. On a alors soulevé la question de savoir d'où provenait la voix que nous venions d'entendre. Nous sommes tous passés dans la pièce voisine, à l'exception de miss Brent qui est restée dans le salon... seule avec la femme évanouie.

Des plaques rouges marbrèrent les joues d'Emily Brent. Elle s'arrêta de tricoter :

– Cette insinuation est monstrueuse !

Impitoyable, la petite voix poursuivit :

– Lorsque nous sommes revenus dans le salon, miss Brent, vous étiez penchée sur Mrs Rogers.

– La compassion la plus élémentaire serait-elle un crime ? demanda Emily Brent.

– Je me contente d'établir les faits, rétorqua le juge War-

grave. Rogers est arrivé sur ces entrefaites avec le cognac
– que, naturellement, il aurait pu empoisonner avant d'entrer
dans la pièce. On a fait boire le cognac à Mrs Rogers et,
peu après, son mari et le Dr Armstrong l'ont aidée à monter
se coucher. Là, le Dr Armstrong lui a donné un sédatif.

– C'est bien comme ça que ça s'est passé ! jubila bruyam-
ment Blore. Exactement comme ça. Ce qui exclut le juge,
Mr Lombard, miss Claythorne et moi-même.

Le juge Wargrave le considéra d'un œil froid.

– Ah, vous croyez ? murmura-t-il. Nous devons prendre
en compte *toutes les possibilités*.

Blore ouvrit des yeux ronds :

– Je ne vous suis pas.

– Là-haut, dans sa chambre, Mrs Rogers est couchée sur
son lit, expliqua le juge Wargrave. Le sédatif que le médecin
lui a donné commence à agir. Elle est vaguement somno-
lente, apathique. Supposez qu'à ce moment-là on frappe à
sa porte et que quelqu'un entre en lui apportant, mettons,
un comprimé ou une potion, avec la prétendue consigne suivante : «Le docteur vous demande de prendre ça.»
Croyez-vous vraiment qu'elle ne l'aurait pas avalé docile-
ment, sans se poser de questions ?

Il y eut un silence. Blore agitait les pieds et fronçait les
sourcils.

– Je ne crois pas un instant à cette histoire, dit Philip
Lombard. D'ailleurs, aucun de nous n'a quitté cette pièce
durant les heures qui ont suivi. Il y a eu la mort de Marston
et tout le reste.

– Quelqu'un aurait pu se faufiler hors de sa chambre...
plus tard, fit observer le juge.

– Mais à ce moment-là, Rogers aurait été là-haut, objecta
Lombard.

Le Dr Armstrong intervint.

– Non, dit-il. Rogers était descendu ranger la salle à
manger et l'office. N'importe qui aurait pu en profiter pour
monter dans la chambre de Mrs Rogers sans être vu.

– Tout de même, docteur, fit remarquer Emily Brent,

avec la drogue que vous lui aviez donnée, elle devait être profondément endormie, non ?

— Selon toute vraisemblance, oui. Mais ce n'est pas une certitude. Tant qu'on n'a pas prescrit plusieurs fois un médicament à un malade, on ne peut pas prévoir comment il réagira. Dans certains cas, un sédatif peut mettre très longtemps à agir. Cela dépend de l'idiosyncrasie du patient.

— Évidemment, remarqua Lombard, vous avez tout intérêt à dire ça, docteur. Ça arrange bien vos affaires, pas vrai ?

De nouveau, le regard d'Armstrong s'empourpra de colère.

Mais la petite voix froide et objective lui figea de nouveau les mots sur les lèvres :

— Récriminer ne saurait nous servir à rien. Nous devons nous en tenir aux faits. Il est établi, je pense, que ce que je viens de supposer a effectivement pu se produire. La probabilité est faible, j'en conviens ; mais, là encore, tout dépend de la personne qui serait montée. L'apparition de miss Brent ou de miss Claythorne n'aurait suscité aucun étonnement chez la malade. Je reconnais qu'en revanche, une visite de Mr Blore, de Mr Lombard ou de moi-même aurait semblé pour le moins insolite ; je pense néanmoins que cela n'aurait pas vraiment éveillé les soupçons de la victime.

— Et tout ça, fit Blore, ça nous mène... où ?

*

Le juge Wargrave se tapotait la lèvre. Il semblait dépourvu de toute passion, quasi inhumain.

— Nous en avons donc fini avec le deuxième meurtre, reprit-il, et nous sommes arrivés à la conclusion qu'aucun de nous ne pouvait être mis formellement hors de cause.

Il s'interrompit un instant avant d'enchaîner :

— Venons-en maintenant à la mort du général Macarthur. Cela s'est passé ce matin. Je demanderai à ceux ou celles qui pensent avoir un alibi d'en faire état de manière concise.

Pour ma part, je précise tout de suite que je n'ai aucun alibi valable. J'ai passé la matinée sur la terrasse, à méditer sur la situation singulière dans laquelle nous nous trouvons.

» Je suis resté dans mon fauteuil toute la matinée, jusqu'au coup de gong, mais sans doute y a-t-il eu plusieurs moments où personne ne m'observait et où il m'aurait été possible de descendre jusqu'à la mer, de tuer le général et de regagner ma place. Le fait est que vous n'avez que ma parole pour croire ou non que je n'ai pas quitté la terrasse un seul instant. En l'occurrence, cela n'est pas suffisant. Il nous faut des *preuves*.

— J'ai passé toute la matinée avec Mr Lombard et le Dr Armstrong, dit Blore. Ils peuvent en témoigner.

— Vous êtes revenu ici chercher une corde, rappela le Dr Armstrong.

— Oui, et alors ? gronda Blore. J'ai juste fait l'aller et retour. Vous le savez bien.

— Vous avez mis longtemps..., dit Armstrong.

Blore vira au cramoisi.

— Que diable entendez-vous par là, Dr Armstrong ? s'étrangla-t-il.

— Je dis simplement que vous avez mis longtemps, répéta Armstrong.

— Il fallait bien la trouver, non ? On ne dégote pas un rouleau de corde en deux secondes.

Le juge Wargrave intervint :

— Pendant l'absence de l'inspecteur Blore, êtes-vous restés tous les deux ensemble, messieurs ?

— Évidemment ! répondit Armstrong avec feu. C'est-à-dire... Lombard est parti quelques minutes. Moi, je suis resté où j'étais.

— Je voulais voir s'il était possible de communiquer avec la côte par signaux optiques, dit Lombard en souriant. Je cherchais le meilleur emplacement. Je ne me suis absenté qu'une ou deux minutes.

Armstrong acquiesça :

– C'est exact. Pas assez longtemps pour commettre un meurtre, je peux vous l'assurer.

– L'un de vous a-t-il consulté sa montre ? demanda le juge.

– Ma foi, non.

– Je n'en portais pas, dit Philip Lombard.

– Une minute ou deux, c'est bien vague, fit observer le juge d'une voix égale.

Il tourna la tête vers la silhouette piquée bien droite dans son fauteuil, son tricot sur les genoux :

– Miss Brent ?

– Je suis montée au sommet de l'île avec miss Claythorne. Ensuite, je me suis assise au soleil sur la terrasse.

– Il ne me semble pas vous avoir remarquée, dit le juge.

– Non, j'étais installée à l'angle de la maison, à l'est. À l'abri du vent.

– Et vous n'en avez pas bougé jusqu'au déjeuner ?

– Non.

– Miss Claythorne ?

– En début de matinée, je n'ai pas quitté miss Brent, répondit aussitôt Vera avec précision. Ensuite, je me suis un peu promenée au hasard. Et puis je suis descendue sur le rivage et j'ai bavardé avec le général Macarthur.

Le juge Wargrave l'interrompit :

– Quelle heure était-il ?

Pour la première fois, Vera fit une réponse vague :

– Je ne sais pas. Ça devait être environ une heure avant le déjeuner... peut-être même moins.

– C'était après que nous lui avons parlé ou avant ? demanda Blore.

– Je n'en sais rien. Il... il était très bizarre.

Elle frissonna.

– Comment cela, « bizarre » ? s'enquit le juge.

– Il disait que nous allions tous mourir..., murmura Vera d'une voix sourde. Il disait qu'il attendait la fin. Il... il m'a paniquée...

Le juge hocha la tête :

– Qu'avez-vous fait ensuite ?

– Je suis rentrée. Et puis, juste avant le déjeuner, je suis ressortie et j'ai grimpé derrière la maison. Je ne tenais pas en place.

Le juge Wargrave se caressa le menton :

– Reste Rogers. Mais je doute que son témoignage ajoute quoi que ce soit à ce que nous savons.

Convoqué devant le tribunal, Rogers eut bien peu de chose à déclarer. Il avait vaqué toute la matinée à ses occupations domestiques et à la préparation du déjeuner. Avant le repas, il avait servi les cocktails sur la terrasse, puis il était monté dans la mansarde pour déménager ses affaires. Il n'avait à aucun moment regardé par la fenêtre et n'avait rien vu qui ait pu avoir un rapport avec la mort du général Macarthur. Il était prêt à jurer qu'il y avait huit figurines de porcelaine sur la table de la salle à manger quand il avait mis le couvert pour le déjeuner.

Un silence suivit la déposition de Rogers.

Le juge Wargrave s'éclaircit la gorge.

– Et maintenant, place aux conclusions du grand homme ! glissa Lombard à l'oreille de Vera Claythorne.

– Nous avons enquêté, du mieux que nous avons pu, sur les circonstances de ces trois décès, déclara le juge. Bien que, selon toutes probabilités, certaines personnes puissent, suivant les crimes envisagés, être mises hors de cause, rien ne nous permet de les décharger à coup sûr du soupçon de complicité. Je le répète, j'ai l'intime conviction que, des sept personnes assemblées dans cette pièce, l'une est un criminel dangereux, probablement un aliéné. Nous ne disposons d'aucun indice quant à l'identité de cet individu. Tout ce que nous pouvons faire dans l'immédiat, c'est réfléchir aux mesures à prendre pour communiquer avec la côte et demander du secours. Et, au cas où les secours tarderaient – ce qui est à craindre étant donné les conditions atmosphériques –, nous devons songer aux mesures à adopter pour assurer notre sécurité.

» Je vous demande à tous de bien réfléchir à ces deux

points et de me faire part de vos suggestions, quelles qu'elles soient. En attendant, je recommande instamment à chacun de se tenir sur ses gardes. Jusqu'ici, le meurtrier a eu la tâche facile dans la mesure où ses victimes étaient sans méfiance. À partir de maintenant, il nous incombe de nous soupçonner mutuellement, tous autant que nous sommes. Un homme averti en vaut deux. Ne prenez pas de risques et soyez à l'affût du danger. Ce sera tout.

— L'audience est levée..., ricana tout bas Philip Lombard.

10

— Vous y croyez, vous ? demanda Vera.

Philip et elle étaient assis sur la banquette, devant la fenêtre du salon. Dehors, il pleuvait à torrents et le vent, qui mugissait et soufflait en rafales, faisait trembler les vitres.

Philip Lombard pencha légèrement la tête de côté :

— Autrement dit, est-ce que je crois que le vieux War-grave a raison quand il affirme que l'assassin est l'un de nous ?

— Oui.

— Difficile de répondre à ça, marmonna Philip Lombard, songeur. Logiquement, il a raison, et pourtant...

Vera lui ôta les mots de la bouche :

— Et pourtant, ça paraît tellement incroyable !

Philip Lombard fit la grimace.

— Toute cette histoire est incroyable ! grommela-t-il. En tout cas, après la mort de Macarthur, une chose est sûre. Il n'est plus question d'accidents ni de suicides. Ce sont bel et bien des meurtres. Trois, à l'heure qu'il est.

Vera frissonna.

— C'est comme un mauvais rêve, dit-elle. Je ne peux pas m'ôter de l'idée que des choses pareilles, ça n'*arrive* pas !

— Je sais, dit-il, compréhensif. Dans un instant, on va

frapper à la porte de votre chambre et vous apporter le petit déjeuner au lit.

— Oh, si seulement... ! s'écria Vera.

— Oui, mais n'y comptez pas, répliqua Philip Lombard avec gravité. Nous faisons tous partie du mauvais rêve ! Et dorénavant, nous avons intérêt à veiller au grain.

Vera baissa la voix :

— Si... si c'est *vraiment* l'un d'entre eux... lequel est-ce, à votre avis ?

Philip Lombard eut un sourire subit :

— Vous nous excluez du lot tous les deux ? Remarquez, ça me va. Je sais pertinemment que je ne suis pas l'assassin, et je ne crois pas qu'il y ait une once de folie en vous, Vera. Pour moi, vous êtes la fille la plus saine et la plus équilibrée que j'aie rencontrée. Je parierais ma réputation sur votre santé mentale.

— Merci, répondit Vera avec un sourire teinté d'ironie.

— Eh bien, miss Vera Claythorne, qu'attendez-vous pour me retourner le compliment ?

Vera hésita un instant.

— Vous savez, dit-elle enfin, vous avez reconnu vous-même, que la vie humaine n'a rien de sacré pour vous ; mais j'ai quand même du mal à imaginer que vous puissiez être l'homme... l'homme qui a enregistré ce disque.

— Bien vu, approuva Lombard. Si je devais commettre un meurtre – ou plusieurs –, ce serait uniquement pour le bénéfice que je pourrais en tirer. Ce nettoyage en série, ce n'est pas mon style. Bon, maintenant que nous nous sommes éliminés, concentrons-nous sur nos cinq compagnons de détention. Lequel d'entre eux est A.N. O'Nyme ? Au hasard, et sans aucun argument à l'appui, je miserais sur Wargrave !

— Ah ? fit Vera, surprise.

Elle réfléchit un instant avant de demander :

— Pourquoi ?

— Difficile à dire précisément. D'abord, c'est un vieil homme qui a présidé des tribunaux pendant des années. En d'autres termes, il y a belle lurette qu'il se prend pour Dieu le Père dix mois par an. Ça doit finir par monter à la tête. Il en arrive à se croire omnipotent, détenteur du droit de vie et de mort sur tout un chacun... et, pour peu qu'il ait perdu la boule, il a pu être tenté de sauter le pas, de devenir à la fois le Juge Suprême et le Bourreau.

— Oui, ça n'est pas *impossible*..., murmura lentement Vera.

— Et vous, sur qui misez-vous ? demanda Lombard.

Elle n'eut aucune hésitation :

— Le Dr Armstrong.

Lombard émit un sifflement étouffé :

— Le médecin, hein ? Moi, je l'aurais placé en dernier.

Vera secoua la tête :

— Oh, non ! Deux décès sur trois sont dus au poison. Ça désigne plutôt un médecin. Et puis n'oubliez pas que la seule chose que Mrs Rogers ait ingurgitée hier soir à notre connaissance, c'est le somnifère qu'il lui a fait avaler.

— Oui, c'est vrai, reconnut Lombard.

— Si un médecin devenait fou, insista Vera, personne ne s'en apercevrait avant un bon bout de temps. Et les médecins travaillent trop et vivent sur les nerfs.

— Oui, répliqua Philip Lombard, mais je doute qu'il ait pu tuer Macarthur. Je ne l'ai laissé seul qu'un instant, il n'en aurait pas eu le temps... à moins de faire l'aller et retour en quatrième vitesse, et je ne pense pas qu'il soit en assez bonne condition physique pour y arriver sans montrer de signes de fatigue.

— Il ne l'a pas tué à ce moment-là, dit Vera. Il en a eu l'occasion un peu plus tard.

— Quand ça ?

— Quand il est allé chercher le général pour le déjeuner.

De nouveau, Philip siffla entre ses dents :

— Vous croyez qu'il aurait fait le coup à ce moment-là ? Ça exigeait un sacré culot.

— Qu'est-ce qu'il risquait ? riposta Vera avec impatience. Il est le seul ici à avoir des connaissances médicales. S'il jure que la mort remonte à plus d'une heure, qui ira le contre-dire ?

Philip la regarda, pensif :

— Vous savez que votre idée n'est pas bête du tout. Je me demande...

*

— Qui est-ce, Mr Blore ? Voilà ce que je veux savoir. Qui est-ce ?

Le visage de Rogers était ravagé de tics. Ses mains étaient crispées sur un chiffon à poussière.

— Toute la question est là, mon gars ! répondit l'ex-inspecteur Blore.

— « L'un d'entre nous », a dit monsieur le Juge. Mais lequel ? Voilà ce que je veux savoir. Qui c'est, ce démon incarné ?

— Ça, dit Blore, c'est ce que nous voudrions tous savoir.

— Mais vous avez bien une idée, Mr Blore, dit Rogers d'un air entendu. Vous avez bien une idée, pas vrai ?

— J'en ai peut-être une, répondit Blore d'une voix lente. Mais de là à être sûr... Je peux me tromper. Tout ce que je peux dire c'est que, si j'ai raison, le personnage en question n'a pas froid aux yeux... ça non, il n'a pas froid aux yeux !

Rogers essuya son front en sueur.

— C'est un cauchemar, voilà ce que c'est, dit-il d'une voix rauque.

Blore le regarda avec curiosité :

— Et vous, Rogers, vous en avez, une idée ?

Le majordome secoua la tête :

— Je n'en sais rien. Je n'y comprends rien. Et c'est ça qui me met la peur au ventre : n'avoir aucune idée...

*

— Il faut que nous partions d'ici, dit le Dr Armstrong avec véhémence. Il le faut... il le faut ! À tout prix !

Pensif, le juge Wargrave regardait par la fenêtre du fumoir. Il jouait machinalement avec le cordon de son lorgnon :

– Je ne me prétends pas expert en météorologie. Mais – à supposer qu'on soit au courant de notre situation critique – il est fort peu probable qu'un bateau puisse aborder l'île avant vingt-quatre heures... Et encore, seulement si le vent tombe.

Le Dr Armstrong se prit la tête dans les mains.

– Et d'ici là, gémit-il, nous serons peut-être tous assassinés dans nos lits ?

– J'espère que non, répondit le juge Wargrave. J'ai l'intention de prendre toutes les précautions possibles pour parer à cette éventualité.

Le Dr Armstrong se fit la réflexion que les vieillards comme le juge étaient beaucoup plus attachés à la vie que les hommes plus jeunes. Ça l'avait souvent étonné au cours de sa carrière. Lui, qui avait sans doute une vingtaine d'années de moins, possédait un instinct de conservation qui n'arrivait pas à la cheville de celui du juge.

« Assassinés dans nos lits ! se disait le juge Wargrave. Tous les mêmes, ces médecins : ils pensent par clichés. Pas une once d'originalité. »

– Nous avons déjà eu trois victimes, insista le médecin. Il ne faut pas l'oublier.

– Certes. Mais vous, n'oubliez pas qu'elles ont été attaquées par surprise. Nous, en revanche, nous sommes prévenus.

– Que pouvons-nous faire ? dit le Dr Armstrong avec amertume. Tôt ou tard...

– À mon sens, répondit le juge Wargrave, nous pouvons faire bien des choses.

– Nous ne savons même pas qui ça peut être..., se lamenta Armstrong.

Le juge se tapota le menton.

– Je ne suis pas de cet avis, murmura-t-il.

Armstrong le regarda, médusé :

– Vous voulez dire que vous *savez*?

– Pour ce qui est des preuves matérielles, nécessaires devant un tribunal, je reconnais n'en avoir aucune, déclara le juge Wargrave avec prudence. Mais il me semble, si je récapitule toute l'affaire, qu'une personne bien précise se trouve assez clairement désignée. Oui, j'en suis convaincu.

– Je ne comprends pas, balbutia Armstrong en le regardant, bouche bée...

*

Miss Brent monta dans sa chambre.

Elle prit sa Bible et alla s'asseoir près de la fenêtre.

Elle ouvrit le livre saint. Puis, après un instant d'hésitation, elle le posa et se dirigea vers la coiffeuse. De l'un des tiroirs, elle sortit un petit carnet à couverture noire.

Elle l'ouvrit et commença à écrire :

Il s'est passé une chose terrible. Le général Macarthur est mort. (Son cousin a épousé Elsie MacPherson.) Il ne fait pas l'ombre d'un doute qu'il a été assassiné. Après le déjeuner, le juge nous a fait un exposé des plus intéressants. Il est convaincu que le meurtrier est l'un de nous. Cela signifie que l'un de nous est possédé du démon. Je le soupçonnais déjà. De qui peut-il bien s'agir ? Ils se le demandent tous. Je suis la seule à savoir...

Elle resta un moment sans bouger. Son regard peu à peu se fit vague, brumeux. Le crayon se mit à zigzaguer entre ses doigts. En capitales maladroites, tremblées, elle écrivit :

LA MEURTRIÈRE S'APPELLE BEATRICE TAYLOR...

Ses yeux se fermèrent.

Tout à coup, elle se réveilla en sursaut. Elle regarda son carnet. Avec une exclamation de colère, elle déchiffra sa dernière phrase, griffonnée à la diable.

– J'ai écrit ça, *moi*? murmura-t-elle à voix basse. Moi? *Ma parole, je deviens folle...*

*

La tempête redoublait de violence. Le vent hurlait en cinglant le pignon de la maison.

Ils étaient tous dans le salon. Abattus, serrés les uns contre les autres. Et, furtivement, ils s'observaient.

Ils sursautèrent lorsque Rogers entra avec le plateau du thé.

– Voulez-vous que je tire les rideaux ? demanda-t-il. Ça mettrait comme un peu de gaieté.

Avec leur accord, il ferma les rideaux et alluma les lampes. La pièce devint plus accueillante. Les ombres se dissipèrent un peu. Demain, sûrement, la tempête serait calmée et quelqu'un viendrait... un bateau arriverait...

– Désirez-vous servir le thé, miss Brent ? demanda Vera Claythorne.

– Non, ma chère, je vous laisse faire, répondit la vieille demoiselle. Cette théière est si lourde ! Et j'ai égaré deux écheveaux de laine grise. C'est bien ennuyeux !

Vera se dirigea vers la table à thé. On entendit un joyeux tintement de porcelaine. Tout rentrait dans l'ordre.

Le thé ! Béni soit le rituel du thé quotidien de 5 heures ! Philip Lombard fit une remarque amusante. Blore en fit autant. Le Dr Armstrong raconta une histoire drôle. Le juge Wargrave, qui, d'ordinaire, abhorrait le thé, but le sien à petites gorgées, avec plaisir sembla-t-il.

Ce fut dans cette atmosphère détendue que Rogers refit soudain irruption.

Un Rogers passablement agité.

– Excusez-moi, monsieur, balbutia-t-il sans s'adresser à personne en particulier, mais quelqu'un sait-il ce qu'est devenu le rideau de la salle de bains ?

Lombard leva vivement la tête :

– Le rideau de la salle de bains ? De quoi diable parlez-vous, Rogers ?

– Il a disparu, monsieur. Il s'est volatilisé. Je faisais le tour de la maison pour fermer les rideaux quand je me suis aperçu que celui des toil... de la salle de bains n'était plus là.

— Il y était ce matin ? demanda le juge Wargrave.

— Oh ! oui, monsieur.

— C'était quel genre de rideau ? intervint Blore.

— De la toile cirée rouge, monsieur. Pour aller avec le carrelage.

— Et il a disparu ? dit Lombard.

— Disparu, oui monsieur.

Ils échangèrent des regards perplexes.

— Bon... et alors ? soupira Blore. C'est insensé, d'accord... mais pas plus que le reste. En tout cas, ça n'a pas d'importance. On ne peut pas tuer quelqu'un avec un rideau en toile cirée. Ne vous faites pas de bile pour ça.

— Bien, monsieur. Merci, monsieur, dit Rogers.

Il sortit en refermant la porte derrière lui.

Dans le salon, la chape de peur était retombée sur les invités.

De nouveau, furtivement, ils s'observaient.

*

Le dîner fut servi, avalé, débarrassé. Un repas simple, à base de conserves.

Après quoi, dans le salon, la tension devint presque insupportable.

À 9 heures, Emily Brent se leva.

— Je vais me coucher, dit-elle.

— Je vais en faire autant, dit Vera.

Elles montèrent l'escalier, escortées de Lombard et de Blore. Arrivés sur le palier, les deux hommes attendirent qu'elles soient entrées dans leurs chambres respectives et qu'elles aient fermé leur porte. Ils les entendirent pousser le verrou et tourner la clef dans la serrure.

— Pas besoin de leur dire de s'enfermer ! ricana Blore.

— En tout cas, en voilà deux qui ne risquent rien cette nuit ! répliqua Lombard.

Il redescendit, suivi de Blore.

*

Les quatre hommes allèrent se coucher une heure plus tard. Ils se retirèrent ensemble. De la salle à manger où il mettait le couvert du petit déjeuner, Rogers les vit monter l'escalier. Il les entendit s'arrêter sur le palier du premier étage.

Puis la voix du juge lui parvint :

— Je ne saurais trop vous recommander, messieurs, de fermer vos portes à clef.

— Et de caler une chaise sous la poignée, tant que vous y êtes, renchérit Blore. Ouvrir une serrure de l'extérieur, je connais le truc, ça n'est pas sorcier.

— L'ennui avec vous, mon cher Blore, murmura Lombard, c'est que vous connaissez trop de trucs !

— Bonne nuit, messieurs, dit le juge avec gravité. Puissions-nous tous nous retrouver vivants demain matin !

Rogers sortit de la salle à manger et grimpa furtivement l'escalier jusqu'à mi-étage. Il vit quatre silhouettes s'engouffrer dans quatre chambres. Il entendit quatre clefs tourner dans quatre serrures — et quatre claquements de verrous.

Il hocha la tête.

— Ça va, marmonna-t-il.

Il retourna dans la salle à manger. Oui, tout était prêt pour le lendemain matin. Il s'attarda un instant à regarder le plateau, au centre de la table, et les sept figurines de porcelaine qui y étaient disposées.

Un sourire éclaira son visage.

— En tout cas, je vais faire en sorte que personne ne vienne nous jouer des tours cette nuit, murmura-t-il.

Traversant la pièce, il ferma à clef la porte de communication avec l'office. Puis il sortit par celle qui donnait sur le hall, la ferma également à double tour et glissa la clef dans sa poche.

Après avoir éteint les lumières, il monta rapidement l'escalier et entra dans sa nouvelle chambre.

Il n'y avait qu'un endroit où on aurait pu se cacher : la penderie, et il y jeta aussitôt un coup d'œil. Puis, après avoir fermé sa porte à clef et au verrou, il se prépara à se coucher.

— Pas d'escamotage de petits nègres cette nuit, dit-il tout haut. J'ai veillé au grain...

11

Philip Lombard se réveillait toujours à l'aube. Ce matin-là ne fit pas exception à la règle. Il se souleva sur un coude et tendit l'oreille. Le vent avait un peu molli mais soufflait encore. En revanche, la pluie semblait avoir cessé...

À 8 heures, le vent redoubla mais Lombard ne l'entendit pas. Il s'était rendormi.

À 9 heures et demie, assis au bord de son lit, il regarda sa montre. Il la porta à son oreille. Ses lèvres se retroussèrent, esquissant ce curieux sourire carnassier qui lui était propre.

« Je crois que le moment est venu de faire quelque chose », murmura-t-il.

À 10 heures moins 25, il frappait à la porte de Blore.

Celui-ci ouvrit avec circonspection. Il avait les cheveux ébouriffés, les yeux encore ensommeillés.

— Vous faites le tour du cadran ? dit aimablement Lombard. Ma foi, ça prouve au moins que vous avez la conscience tranquille.

— Qu'est-ce qui se passe ? demanda Blore d'un ton bref.

— Est-ce qu'on vous a appelé – ou apporté du thé ? Vous savez l'heure qu'il est ?

Blore jeta un coup d'œil à la pendulette de voyage qui se trouvait sur sa table de chevet :

– 10 heures moins 25 ! Je n'aurais jamais cru que je pourrais dormir si longtemps. Où est Rogers ?

– C'est le genre de cas où l'écho répond « Où ? ».

– Qu'est-ce que ça veut dire ? demanda vivement Blore.

– Ça veut dire que Rogers a disparu. Il n'est ni dans sa chambre ni ailleurs. Il n'y a pas de bouilloire sur le fourneau et le feu n'est même pas allumé.

Blore poussa un juron étouffé :

– Où diable peut-il être ? En vadrouille sur l'île ? Je m'habille en vitesse. Allez voir si les autres savent quelque chose.

Philip Lombard hocha la tête. Il passa en revue la rangée de portes closes.

Il trouva Armstrong debout et presque prêt. Tout comme pour Blore, il fallut tirer le juge Wargrave de son sommeil. Vera Claythorne était habillée. La chambre d'Emily Brent était vide.

Le petit groupe fit le tour de la maison. Comme l'avait annoncé Philip Lombard, Rogers n'était pas dans sa chambre. Le lit était défait ; son rasoir, son gant de toilette et son savon étaient mouillés.

– En tout cas, il s'est levé, dit Lombard.

D'une voix sourde, qu'elle s'efforçait de rendre ferme et assurée, Vera dit :

– Vous ne croyez pas qu'il est ... qu'il est caché quelque part... et qu'il nous guette ?

– Je suis prêt à croire n'importe quoi de n'importe qui, ma pauvre ! répondit Lombard. Je propose que nous restions ensemble jusqu'à ce que nous l'ayons retrouvé.

– Il doit être quelque part sur l'île, dit Armstrong.

Blore, qui les avait rejoints, habillé mais non rasé, intervint :

– Et où est passée miss Brent ? Ça aussi, c'est encore un mystère !

Mais comme ils débouchaient dans le hall, Emily Brent arriva par la porte d'entrée. Elle était en imperméable.

– La mer est toujours aussi forte, dit-elle. Je serais surprise qu'un bateau puisse venir aujourd'hui.

– Vous êtes allée vous promener toute seule dans l'île, miss Brent ? demanda Blore. Vous vous rendez compte que c'est la dernière chose à faire ?

– Je puis vous assurer, Mr Blore, rétorqua miss Brent avec hauteur, que j'ai fait extrêmement attention.

– Vous avez aperçu Rogers ? grommela Blore.

Miss Brent haussa les sourcils :

– Rogers ? Non, je ne l'ai pas vu de la matinée. Pourquoi ?

Le juge Wargrave, rasé, habillé et dentier en place, descendit l'escalier. Il se dirigea vers la porte de la salle à manger, qui était ouverte :

– Ah ! le couvert du petit déjeuner est mis, à ce que je vois.

– Il a pu le mettre hier soir, dit Lombard.

Ils entrèrent tous. Les assiettes et les couverts étaient soigneusement disposés. Les tasses, alignées sur la desserte. Le dessous-de-plat de feutre prêt à recevoir la cafetière.

Ce fut Vera qui s'en aperçut la première. Elle saisit le bras du juge, à qui sa poigne arracha une grimace.

– Les petits nègres ! s'exclama-t-elle. Regardez !

Il ne restait plus que six figurines de porcelaine au milieu de la table.

*

Ils le découvrirent peu après.

Il était dans la petite buanderie, au fond de la cour. Il avait été surpris alors qu'il coupait du petit bois pour allumer la cuisinière. Il tenait encore la hachette à la main. Une hache, beaucoup plus grande, infiniment plus lourde, était appuyée contre la porte. Le fer de l'instrument, souillé de taches brunâtres, ne correspondait que trop bien à la profonde blessure que Rogers avait à l'arrière du crâne...

*

– C'est clair comme le jour, dit Armstrong. Le meurtrier s'est glissé derrière lui, a brandi la hache et la lui a abattue sur la tête en profitant de ce qu'il était penché.

Blore était occupé à saupoudrer de farine le manche de la hache.

– Le coup exigeait une grande force physique, docteur ? demanda le juge Wargrave.

– Une femme aurait pu le faire, si c'est ce que vous voulez savoir, répondit Armstrong avec gravité.

Il lança un rapide regard circulaire. Vera Claythorne et Emily Brent s'étaient retirées dans la cuisine.

– La fille aurait pu le faire sans problème... elle est du genre athlétique. Quant à miss Brent, elle est frêle en apparence, mais, sous leur côté filiforme, ces femmes-là sont souvent très vigoureuses. Et n'oubliez pas qu'un individu mentalement dérangé possède des réserves de force insoupçonnées.

Le juge acquiesça, pensif.

Blore se redressa avec un soupir.

– Pas d'empreintes, dit-il. Le manche a été essuyé après coup.

Un rire éclata dans leur dos qui les fit se retourner d'un bloc. Vera Claythorne était plantée au milieu de la cour. D'une voix stridente, secouée par l'hilarité, elle s'écria :

– Est-ce qu'ils ont des abeilles, sur cette île ? Dites-moi un peu ça ! Le miel, où va-t-on le chercher ? Ha, ha !

Ils la regardèrent sans comprendre. On aurait pu croire que la jeune femme, d'ordinaire saine et équilibrée, était devenue folle sous leurs yeux. De la même voix aiguë, elle reprit :

– Ne faites pas cette tête-là ! On jurerait que vous me prenez pour une folle. Ma question tombe pourtant sous le sens, non ? Abeilles, rucher, abeilles ! Ne me dites pas que vous ne comprenez pas ! Vous n'avez donc pas lu cette comptine idiote ? Elle est placardée dans toutes les chambres, pour que chacun puisse méditer dessus à loisir ! Si nous avions eu un tant soit peu de jugeote, nous serions venus ici tout droit. *« Sept petits nègres fendirent du petit bois. »* Et le couplet suivant... Je les connais tous par cœur, vous pouvez me croire ! *« Six petits nègres rêvassaient au rucher. »* Voilà pourquoi je vous demande ça : est-ce qu'ils ont des abeilles sur cette île ?... Tordant, non ?... Vous ne trouvez pas ça à se tordre, vous ?

Elle repartit d'un grand rire hystérique. Le Dr Armstrong fit un pas vers elle et la gifla du plat de la main.

Le souffle coupé, Vera hoqueta... déglutit. Elle resta un moment immobile.

– Merci..., dit-elle enfin. Ça va, maintenant.

Elle avait retrouvé sa voix calme, normale – la voix du professeur d'éducation physique que rien ne peut ébranler.

– Nous vous préparons le petit déjeuner, miss Brent et moi, dit-elle avant de tourner les talons et de regagner la cuisine. Pouvez-vous nous apporter... du petit bois pour allumer le feu ?

La main du médecin lui avait laissé une marque rouge sur la joue.

Comme elle entrait dans la cuisine, Blore commenta :

– On peut pas dire, docteur, mais vous vous en êtes rudement bien tiré.

– Bien obligé ! répondit Armstrong sur un ton d'excuse. Nous ne pouvons pas nous offrir des crises d'hystérie en plus du reste.

– L'hystérie, ça n'a pourtant pas l'air d'être son genre, dit Philip Lombard.

Armstrong en convint :

– Oh ! non. C'est une fille tout ce qu'il y a de saine et de sensée. Seulement elle a mal digéré le choc. Ça peut arriver à n'importe qui.

Avant d'être tué, Rogers avait débité une certaine quantité de petit bois. Ils le rassemblèrent et l'emportèrent à la cuisine. Vera et Emily Brent étaient occupées, miss Brent à tisonner la cuisinière, Vera à « découenner » le bacon.

— Merci, dit Emily Brent. Nous allons faire le plus vite possible – une demi-heure ou trois quarts d'heure, mettons. Il faut le temps de faire chauffer la bouilloire.

*

— Savez ce que je pense ? murmura d'une voix sourde l'ex-inspecteur Blore à Philip Lombard.

— Comme vous allez me le dire, répondit Philip Lombard, pas la peine que je me creuse la cervelle à deviner.

L'ex-inspecteur Blore était un homme d'un grand sérieux. Il ne comprenait pas la plaisanterie. Il poursuivit, imperturbable :

— Il y a eu une affaire célèbre, en Amérique. Un vieux monsieur et sa femme... tous les deux tués à coups de hache. En plein milieu de la matinée. Personne dans la maison, à part la fille et la bonne. La bonne – ç'avait été prouvé – ne pouvait pas avoir fait le coup. L'autre était une respectable vieille fille entre deux âges. Ça paraissait incroyable. Tellement incroyable qu'on l'a acquittée. Mais on n'a jamais trouvé d'autre explication... J'ai repensé à cette histoire quand j'ai vu la hache... et quand je l'ai vue, *elle*, dans la cuisine, si calme, si impeccable. Ça ne lui avait fait ni chaud ni froid ! Cette fille qui vient piquer une crise de nerfs... ça, c'est normal – c'est le genre de réaction à laquelle on s'attend dans des cas pareils... pas vrai ?

— Peut-être bien, répondit Philip Lombard, laconique.

— Mais l'autre ! poursuivit Blore. Si nette, si guindée – drapée dans ce tablier, celui de Mrs Rogers, je suppose – et qui vous dit comme ça : « Le petit déjeuner sera prêt dans une demi-heure... » Si vous voulez mon avis, cette bonne femme travaille du chapeau ! Ça leur arrive souvent, aux vieilles filles... Je ne veux pas dire de commettre des meurtres en série, mais de perdre la boule. Malheureusement, c'est le cas avec elle. La folie mystique... elle se prend pour l'instrument de Dieu, quelque chose comme ça ! Elle passe des heures dans sa chambre à lire la Bible, vous savez.

– Ce n'est pas forcément une preuve de déséquilibre mental, soupira Philip Lombard.

Mais Blore, têtu comme une mule, se cramponnait à son idée :

– Et puis ce matin, elle est sortie... en imperméable, histoire d'aller regarder la mer – c'est du moins ce qu'elle raconte.

Lombard secoua la tête :

– Rogers a été tué alors qu'il coupait le bois... C'est la première chose qu'il a faite quand il s'est levé. Miss Brent n'aurait eu aucune raison de se balader pendant des heures après avoir fait le coup. À mon avis, le meurtrier de Rogers se serait plutôt arrangé pour qu'on le trouve en train de ronfler dans son lit.

– Il y a un point important qui vous échappe, Mr Lombard, dit Blore. Si cette femme était innocente, elle aurait eu bien trop la frousse pour aller se promener toute seule. Elle ne pouvait le faire que *si elle était sûre qu'elle n'avait rien à craindre*. Autrement dit, *si c'était elle la meurtrière.*

– Il est exact que c'est un bon argument, reconnut Philip Lombard. Et je dois admettre que je n'y avais pas pensé... En tout cas, je suis heureux de constater que vous ne me soupçonnez plus, ajouta-t-il avec un mince sourire.

– C'est vrai que j'ai d'abord misé sur vous, avoua Blore, penaud. À cause du revolver... et de la curieuse histoire que vous avez racontée... ou plutôt, que vous n'avez pas racontée. Mais je me rends compte maintenant que c'était un peu gros... J'espère que vous me rendez la pareille ? ajouta-t-il après un silence.

– Je peux me tromper, bien sûr, mais je ne pense pas que vous ayez l'imagination nécessaire, répliqua Lombard, songeur. Tout ce que je peux dire, c'est que si c'est vous l'assassin, vous êtes un sacré comédien et je vous tire mon chapeau.

Il baissa la voix :

— Entre nous, Blore, et puisque nous serons sans doute tous les deux transformés en macchabées d'ici vingt-quatre heures, vous pouvez bien me le dire : vous avez vraiment fait un faux témoignage, n'est-ce pas ?

Mal à l'aise, Blore se dandina d'un pied sur l'autre.

— Bah ! après tout, ça n'a plus grande importance, maintenant, répondit-il enfin. Bon, d'accord... Landor était innocent. Le gang m'avait graissé la patte et nous nous sommes arrangés pour l'expédier en taule. Seulement attention, hein ! pas question que j'avoue un truc pareil...

— ... en présence de témoins, acheva Lombard avec un grand sourire. Ça restera entre nous. J'espère au moins que ça vous a rapporté gros.

— Pas autant que ça aurait dû. Des radins, les gars du gang Purcell. Mais enfin, j'ai eu mon avancement.

— Et Landor a été condamné à trois ans ferme et il est mort en prison.

— Je ne pouvais pas prévoir qu'il allait mourir, non ? protesta Blore.

— Non, malheureusement pour vous.

— Pour moi ? Pour lui, vous voulez dire.

— Pour vous aussi. Parce que, à cause de ça, on dirait bien que votre petite existence va être désagréablement écourtée.

— La mienne ? fit Blore en écarquillant les yeux. Parce que vous croyez, vous, que je vais finir comme Rogers et les autres ? Jamais de la vie ! Je veille au grain, ça, je vous en fiche mon billet.

— Oh, ça va, je ne suis pas homme à parier, dit Lombard. De toute façon, quand vous serez mort, ce n'est pas vous qui viendriez me payer.

— Dites donc, Mr Lombard, que voulez-vous dire par là ?

Philip Lombard sourit de toutes ses dents :

— Je veux dire par là, mon cher Blore, qu'à mon humble avis, vous n'avez pas une chance !

— Quoi ?

— Votre manque d'imagination fait de vous la cible

idéale. Un assassin aussi machiavélique qu'A.N. O'Nyme
aura votre peau à la minute précise qu'il – ou elle – aura
choisie.

Le visage de Blore vira au cramoisi.

– Et vous, alors ? lança-t-il avec colère.

Philip Lombard prit une expression dure, redoutable :

– Moi, pour mon compte, j'en ai à revendre, de l'imagination. Je me suis déjà trouvé dans des situations difficiles,
et je m'en suis toujours sorti ! Je pense – je dis bien : je
pense – que je me sortirai aussi de celle-là.

                              *

Les œufs cuisaient dans la poêle. Tout en faisant griller
du pain, Vera pensait :

« Qu'est-ce qui m'a pris de piquer cette crise de nerfs ?
Ça n'était pas malin. Du calme, ma fille, du calme. »

Après tout, ne s'était-elle pas toujours vantée de son parfait équilibre ?

« *Miss Claythorne a été extraordinaire... elle n'a pas
perdu la tête... elle a tout de suite plongé pour rattraper
Cyril.* »

Pourquoi penser à ça maintenant ? C'était fini, tout ça.
Fini... Cyril avait disparu bien avant qu'elle n'atteigne le
rocher. Elle avait senti le courant l'emporter, l'entraîner vers
le large. Elle s'était laissé porter – nageant à petites brasses,
faisant la planche – jusqu'à ce qu'enfin le bateau arrive...

Tout le monde avait vanté son courage, son sang-froid...
Sauf Hugo. Hugo, lui, l'avait juste... dévisagée...

Mon Dieu ! que ça faisait mal, encore maintenant, de
penser à Hugo...

Où était-il ? Que faisait-il ? Était-il fiancé... marié ?

– Vera, ce toast est en train de brûler ! lui dit Emily Brent
d'un ton outré.

– Oh ! c'est vrai, je suis désolée. Quelle idiote je fais !

Emily Brent sortit le dernier œuf du beurre grésillant.

Tout en mettant une nouvelle tranche de pain dans le toasteur, Vera remarqua avec étonnement :

– C'est incroyable ce que vous êtes calme, miss Brent.

Emily Brent pinça les lèvres :

– On m'a appris à garder la tête froide et à ne jamais faire de simagrées.

« Une enfance refoulée..., pensa machinalement Vera. Ça peut expliquer bien des choses... »

– Vous n'avez pas peur ? demanda-t-elle.

Après un silence, elle ajouta :

– Ou est-ce que ça vous est égal de mourir ?

Mourir ! Ce fut comme si une petite vrille bien aiguisée s'enfonçait dans le magma pétrifié du cerveau d'Emily Brent. Mourir ? Mais elle n'allait pas mourir, *elle* ! Les autres mourraient, oui, mais pas elle. Cette fille n'y comprenait rien ! Emily n'avait pas peur, bien sûr que non... Les Brent ignoraient la peur. Dans la famille, on était militaire de père en fils. On regardait la mort en face, sans ciller. On menait une vie droite – tout comme elle, Emily Brent, avait mené une vie droite... Elle n'avait jamais rien fait dont elle pût avoir honte... Par conséquent, il était clair qu'*elle* n'allait pas mourir...

« *Le Seigneur a pitié de ses créatures.* » « *Tu ne craindras ni les terreurs de la nuit, ni la flèche qui vole de jour...* » Il faisait jour, maintenant, elle n'éprouvait nulle terreur. « *Aucun de nous ne quittera cette île.* » Au fait, qui avait dit cela ? Ah ! oui : le général Macarthur, bien sûr, dont le cousin avait épousé Elsie MacPherson. Ça n'avait pas semblé le *troubler* outre mesure. Il avait même paru... oui, *soulagé* à cette perspective ! C'était monstrueux ! C'était presque sacrilège, un sentiment pareil. Certaines personnes font si peu de cas de la mort qu'elles en arrivent à attenter à leur vie. *Beatrice Taylor*... Cette nuit, Emily avait rêvé de Beatrice – rêvé qu'elle était là, dehors, le visage pressé contre la vitre, qu'elle gémissait en implorant qu'on la laisse entrer. Mais Emily Brent n'avait pas voulu la laisser entrer. Parce que, si elle l'avait fait, quelque chose de terrible serait arrivé...

Dans un sursaut, Emily revint à la réalité. Cette fille la regardait d'un drôle d'air.

— Tout est prêt, n'est-ce pas ? dit-elle avec un entrain forcé. Alors, servons le petit déjeuner.

*

Ce fut un repas étrange. Chacun se montrait d'une prévenance extrême :

— Voulez-vous encore un peu de café, miss Brent ?

— Une tranche de jambon, miss Claythorne ?

— Un autre toast ?

Six personnes, extérieurement calmes et maîtresses d'elles-mêmes.

Mais intérieurement ? Des pensées qui tournaient en rond comme des écureuils en cage...

« *Et maintenant ? Et maintenant ? Qui ? Lequel ?* »

« *Est-ce que ça va marcher ? Je me demande... Mais ça vaut le coup d'essayer. Seulement est-ce que nous aurons le temps ? Bon Dieu, est-ce que nous aurons le temps ?...* »

« *Folie mystique, à tous les coups... Pourtant, à la regarder, on ne croirait jamais... Et si je me trompais ?...* »

« *C'est dingue... tout est dingue. Je deviens dingue. De la laine qui disparaît... des rideaux en toile cirée rouge... ça n'a ni queue ni tête. Je ne comprends pas le comment du pourquoi...* »

« *L'imbécile ! Il a cru tout ce que je lui ai dit. Simple comme bonjour... Il faut quand même que je sois prudent, très prudent.* »

« *Six figurines de porcelaine... plus que six. Combien en restera-t-il ce soir ?...* »

— Qui veut le dernier œuf ?

— Un peu de confiture ?

— Merci, voulez-vous que je vous coupe une tranche de pain ?

Six personnes, qui prenaient leur petit déjeuner en se comportant comme des êtres normaux...

12

Le repas était terminé.

Le juge Wargrave s'éclaircit la gorge. D'une voix ténue mais pleine d'autorité, il déclara :

— Il serait sage, je pense, de nous réunir pour discuter de la situation. Disons... dans une demi-heure, au salon ?

Chacun donna son accord dans un murmure général.

Vera entreprit d'empiler les assiettes :

— Je vais desservir et faire la vaisselle.

— Nous allons vous apporter le tout à l'office, dit Philip Lombard.

— Merci.

Emily Brent se leva et se rassit aussitôt :

— Allons bon !

— Ça ne va pas, miss Brent ? s'enquit le juge.

— Je suis désolée, répondit Emily d'un ton d'excuse. J'aurais voulu aider miss Claythorne, mais je ne sais pas ce que j'ai. Je me sens un peu étourdie.

Le Dr Armstrong s'approcha d'elle :

— Étourdie, hein ? C'est bien naturel. Le contrecoup. Je peux vous donner quelque chose pour...

— Non !

Le cri avait jailli des lèvres d'Emily avec la violence d'une grenade explosive.

Ils en restèrent tous pantois. Le Dr Armstrong rougit violemment.

La peur et la méfiance se lisaient clairement sur le visage de miss Brent.

— À votre aise, miss Brent, répondit-il avec raideur.

– Je ne veux rien prendre, dit-elle. Rien du tout. Je vais rester tranquillement assise jusqu'à ce que ça passe.

Ils achevèrent de débarrasser la vaisselle du petit déjeuner.

– Je suis un homme d'intérieur, dit Blore. Je vais vous donner un coup de main, miss Claythorne.

– Merci, répondit Vera.

Emily Brent resta seule dans la salle à manger.

Pendant un moment, elle entendit un léger murmure de voix en provenance de l'office.

Son vertige se dissipait. Elle se sentait engourdie, maintenant, comme si elle était à deux doigts de s'assoupir.

Elle avait un bourdonnement dans les oreilles... ou bien était-ce un bourdonnement bien réel ?

« On dirait une abeille... », se dit-elle.

Elle ne tarda pas à la voir. L'abeille grimpait à la vitre de la fenêtre.

Vera Claythorne avait parlé d'abeilles, ce matin.

D'abeilles et de miel.

Elle aimait le miel. Le miel en rayon, qu'on faisait tomber goutte à goutte à travers un sac en mousseline. Ploc, ploc, ploc...

Il y avait quelqu'un dans la pièce – quelqu'un de tout trempé, qui dégoulinait... *Beatrice Taylor était sortie de la rivière...*

Emily n'avait qu'à tourner la tête pour la voir.

Mais elle n'arrivait pas à tourner la tête...

Si elle appelait...

Mais elle n'arrivait pas à appeler...

Il n'y avait personne dans la maison. Elle était toute seule...

Elle entendit des pas... des pas traînants, feutrés, qui approchaient par-derrière. Les pas trébuchants de la noyée...

Un remugle d'humidité glacée assaillit ses narines...

Sur la vitre, l'abeille bourdonnait... bourdonnait...

Et soudain, elle sentit la piqûre.

La piqûre de l'abeille dans son cou...

*

Dans le salon, on attendait Emily Brent.

— Voulez-vous que j'aille la chercher ? proposa Vera Claythorne.

— Attendez une seconde ! lança Blore.

Vera se rassit. Tout le monde regarda Blore d'un air interrogateur.

— Écoutez, vous tous, dit-il, voilà ce que je pense : à l'heure qu'il est, inutile de chercher l'auteur de tous ces meurtres plus loin que la salle à manger. Je suis prêt à jurer que cette femme est l'assassin après lequel nous courons.

— Et le mobile ? demanda Armstrong.

— Folie mystique. Qu'en dites-vous, docteur ?

— C'est tout à fait possible, répondit Armstrong. Je n'ai aucun argument à vous opposer. Mais nous n'avons aucune preuve.

— Je l'ai trouvée très bizarre, tout à l'heure, pendant que nous préparions le petit déjeuner à la cuisine, dit Vera. Ses yeux...

Elle frissonna.

— On ne peut pas la juger là-dessus, répliqua Lombard. En ce moment, on a tous le cerveau qui bat un peu la breloque.

— Il y a autre chose, insista Blore. Hier soir, après le coup du gramophone, elle a été la seule à refuser de se justifier. Pourquoi ça ? Parce qu'elle n'avait aucune justification à fournir.

Vera s'agita dans son fauteuil :

— Ce n'est pas tout à fait exact. Elle m'a tout raconté... plus tard.

— Et que vous a-t-elle raconté, miss Claythorne ? demanda Wargrave.

Vera répéta l'histoire de Beatrice Taylor.

— Voilà un récit dépourvu d'ambiguïté, fit observer le juge Wargrave. Pour ma part, je serais tenté de l'accepter sans réserve. Dites-moi, miss Claythorne, vous a-t-elle paru éprouver un sentiment de culpabilité ou de remords pour l'attitude qu'elle avait eue dans cette affaire ?

— Pas le moindre, répondit Vera. Elle était absolument imperturbable.

— Des cœurs de pierre, ces vieilles filles à principes ! grommela Blore. C'est l'envie qui les ronge, un point c'est tout !

— Il est 11 heures moins 5, déclara le juge Wargrave. Je pense que nous devrions prier miss Brent de se joindre à notre assemblée.

— Vous n'allez pas prendre des mesures ? s'inquiéta Blore.

— Je ne vois pas bien quelles mesures nous pourrions prendre, répondit le juge. Nos soupçons, pour le moment, ne sont que des soupçons. Je demanderai néanmoins au Dr Armstrong d'observer de très près le comportement de miss Brent. Et maintenant, allons dans la salle à manger.

Ils trouvèrent Emily Brent assise là où ils l'avaient laissée. De dos, ils ne remarquèrent rien d'anormal, sinon qu'elle ne semblait pas les avoir entendus entrer.

Et puis ils la virent de face, le visage injecté de sang, les lèvres bleues, les yeux révulsés.

— Bon Dieu, s'exclama Blore, elle est morte !

*

— Encore l'une de nous dont l'innocence est prouvée... trop tard ! fit la petite voix posée du juge Wargrave.

Armstrong était penché sur la morte. Il lui renifla les lèvres, secoua la tête, lui examina les paupières.

— De quoi est-elle morte, docteur ? s'impatienta Lombard. Elle allait très bien quand nous l'avons quittée !

L'attention d'Armstrong était concentrée sur une marque, du côté droit du cou.

— Cette marque a été faite par une seringue hypodermique, dit-il.

Un bourdonnement leur parvint de la fenêtre.

— Regardez... une abeille ! s'écria Vera. Rappelez-vous ce que je vous ai dit ce matin !

— Ce n'est pas cette abeille qui l'a piquée ! fit observer Armstrong d'un air sombre. C'était une seringue, tenue par une main humaine.

— Quel poison lui a-t-on injecté ? demanda le juge.

— À vue de nez, un cyanure quelconque, répondit Armstrong. Probablement du cyanure de potassium, comme pour Anthony Marston. La mort par asphyxie a dû être instantanée.

— Mais cette *abeille* ? s'exclama Vera. Ça n'est quand même pas une *coïncidence* ?

— Oh, non, ce n'est pas une coïncidence ! répliqua Lombard, la mine farouche. C'est la touche folklorique de notre assassin ! Un sacré plaisantin celui-là. Ça l'amuse de coller au plus près à sa fichue comptine !

Pour la première fois, il parlait d'une voix tremblante, presque stridente. Comme si ses nerfs, pourtant aguerris par une longue carrière de périls et d'aventures dangereuses, avaient fini par lâcher.

— C'est fou... absolument fou ! lança-t-il avec violence. Nous sommes tous fous !

— Nous avons encore, je l'espère, toute notre raison, le contredit calmement le juge. *Quelqu'un a-t-il apporté une seringue hypodermique dans cette maison ?*

Le Dr Armstrong se redressa et, d'une voix mal assurée, balbutia :

— Oui, moi.

Quatre paires d'yeux se fixèrent sur lui. Il se raidit face à l'hostilité profonde, soupçonneuse de tous ces regards.

— J'en emporte toujours une avec moi, dit-il. Comme la plupart des médecins.

— Cela va de soi, déclara le juge Wargrave sans autrement s'émouvoir. Voulez-vous néanmoins nous dire, docteur, où se trouve actuellement cette seringue ?

— Dans ma valise, dans ma chambre.

– Nous pourrions peut-être aller vérifier de ce pas, dit Wargrave.

En une silencieuse procession, ils montèrent tous les cinq à l'étage.

On vida par terre le contenu de la valise.

La seringue hypodermique n'y était pas.

*

– Quelqu'un a dû me la prendre ! s'écria Armstrong avec véhémence.

Il se fit un silence dans la pièce.

Armstrong tournait le dos à la fenêtre. Quatre paires d'yeux, soupçonneux et accusateurs, le fixaient. Il les regarda tour à tour, de Wargrave à Vera, en répétant d'une voix faible, désemparée :

– On a dû me la prendre, je vous dis !

Blore regarda Lombard, qui lui retourna son regard.

– Nous sommes cinq dans cette pièce, déclara le juge. *L'un de nous est un meurtrier.* La situation est extrêmement grave, et le danger partout. Tout doit être mis en œuvre pour protéger les quatre d'entre nous qui sont innocents. Dr Armstrong, permettez-moi de vous demander quels médicaments vous avez en votre possession.

– J'ai là une petite trousse médicale, répondit Armstrong. Vous pouvez l'examiner. Vous y trouverez quelques somnifères – du trional et des comprimés de sulfonal –, du bromure, du bicarbonate de soude et de l'aspirine. Rien d'autre. Je n'ai pas de cyanure en ma possession.

– Moi-même, j'ai des somnifères, dit le juge. Des comprimés de sulfonal, je crois. Je présume qu'ils seraient fatals si on les administrait à haute dose. Et vous, Mr Lombard, vous avez un revolver.

– Et alors ? repartit vivement Philip Lombard.

– Alors, voilà : je propose que les médicaments du Dr Armstrong, mes comprimés de sulfonal, votre revolver – et toute autre drogue ou arme à feu pouvant se trouver dans cette maison – soient rassemblés et placés en lieu sûr. Et, ceci fait, que nous nous soumettions tous à une fouille... aussi bien corporelle que de nos affaires.

– Je veux bien être pendu si je vous donne mon revolver ! s'emporta Lombard.

– Mr Lombard, répliqua sèchement Wargrave, vous êtes un garçon vigoureux et solidement bâti, mais l'ex-inspecteur Blore est également un homme de robuste constitution. J'ignore quelle serait l'issue d'une lutte entre vous deux, mais je puis vous certifier une chose : Blore aurait à ses côtés, pour lui prêter main-forte dans la mesure de nos moyens, le Dr Armstrong, miss Claythorne et moi-même. Vous conviendrez donc que, si vous décidiez de résister, vous auriez affaire à forte partie.

Lombard rejeta la tête en arrière. Il découvrit ses dents en une sorte de rictus féroce :

– Oh ! bon, très bien. Puisque vous avez la situation en main...

Le juge Wargrave hocha la tête :

– Vous êtes un garçon raisonnable. Où est-il, ce revolver ?

– Dans le tiroir de ma table de chevet.

– Bien.

– Je vais le chercher.

– J'estime qu'il serait préférable que nous vous accompagnions.

Avec son même sourire carnassier, Philip répliqua :

– On est soupçonneux, pas vrai ?

Ils enfilèrent le couloir jusqu'à la chambre de Lombard.

Philip alla ouvrir d'un coup sec le tiroir de sa table de chevet.

Il recula aussitôt, en poussant un juron.

Le tiroir était vide.

*

– Satisfaits ? demanda Lombard.

Il s'était mis complètement nu et les trois hommes l'avaient méticuleusement fouillé ainsi que sa chambre. Vera Claythorne attendait dehors, dans le couloir.

La fouille se poursuivit avec méthode. Tour à tour, Armstrong, le juge et Blore furent soumis au même examen.

Enfin, sortant de la chambre de Blore, ils s'approchèrent de Vera.

— J'espère que vous comprendrez, miss Claythorne, lui dit le juge, que nous ne pouvons faire aucune exception. Il faut retrouver ce revolver. Vous avez un maillot de bain, je présume ?

Vera acquiesça.

— Dans ce cas, je vous demanderai d'aller l'enfiler dans votre chambre et de revenir ici ensuite.

Vera entra dans sa chambre et ferma la porte. Elle réapparut moins d'une minute plus tard, vêtue d'un maillot de satin moulant.

Wargrave eut un hochement de tête approbateur :

— Merci, miss Claythorne. À présent, si vous voulez bien rester ici, nous allons fouiller votre chambre.

Vera attendit patiemment dans le couloir. Lorsqu'ils eurent terminé, elle rentra se rhabiller et les rejoignit.

— Nous sommes maintenant sûrs d'une chose, déclara le juge. Aucun de nous cinq n'a d'arme ni de drogue mortelle en sa possession. C'est un bon point d'acquis. Nous allons maintenant mettre les médicaments en lieu sûr. Il y a bien un coffre pour l'argenterie dans l'office, n'est-ce pas ?

— Tout ça, c'est bien joli, grommela Blore. Mais qui en aura la clef ? Vous, je suppose.

Le juge Wargrave ne répondit pas.

Il descendit à l'office, suivi des autres. Il y avait là un petit coffre prévu pour le rangement de l'argenterie. Sous la direction du juge, on y déposa les divers médicaments et on le ferma à clef. Puis, toujours sur les instructions de Wargrave, on hissa le coffre dans le vaisselier, qu'on ferma également à double tour. Le juge remit alors la clef du coffre à Philip Lombard et celle du vaisselier à Blore.

– Vous êtes physiquement les deux plus forts, leur dit-il. Il serait difficile à l'un de vous de prendre sa clef à l'autre. Et aucun de nous trois ne pourrait le faire. Forcer la porte du vaisselier – ou celle du coffre – serait une méthode bruyante et peu pratique, qui ne manquerait pas d'attirer l'attention.

Il s'arrêta un instant avant de poursuivre :

– Reste un grave problème. *Qu'est devenu le revolver de Mr Lombard* ?

– Son propriétaire doit le savoir mieux que personne, maugréa Blore.

Un sillon blafard souligna les narines de Philip Lombard :

– Bougre de tête de mule ! Je vous répète qu'on me l'a volé !

– Quand l'avez-vous vu pour la dernière fois ? s'enquit Wargrave.

– Hier soir. Il était dans le tiroir quand je me suis couché – prêt à servir en cas de besoin.

Le juge hocha la tête :

– On a dû le subtiliser ce matin, dans l'affolement, pendant que nous cherchions Rogers ou après que nous avons découvert son corps.

– Il doit être caché quelque part dans la maison, dit Vera. Il faut le chercher.

Le juge Wargrave se tapotait le menton :

– Je doute qu'une perquisition donne des résultats. Notre assassin a eu tout le temps d'imaginer une bonne cachette. Je ne pense pas que ce revolver serait facile à trouver.

– Je ne sais pas où est ce revolver, intervint Blore avec force, mais je suis prêt à parier que je sais où se trouve quelque chose d'autre... la seringue hypodermique. Suivez-moi.

Il sortit et leur fit faire le tour de la maison.

Il trouva la seringue non loin de la fenêtre de la salle à manger. À côté d'elle il y avait une figurine de porcelaine brisée : le cinquième petit nègre, en miettes.

Satisfait, Blore expliqua :

– Elle ne pouvait être que là. Après avoir tué miss Brent, le meurtrier a jeté la seringue par la fenêtre et a envoyé la figurine de porcelaine la rejoindre.

Il n'y avait pas d'empreintes sur la seringue. On l'avait soigneusement essuyée.

– À présent, il faut que nous le cherchions, ce revolver, décréta Vera d'un ton décidé.

– Bien sûr, acquiesça le juge Wargrave. Mais, ce faisant, prenons garde de rester tous ensemble. Dites-vous bien que, si nous nous séparons, nous donnons au meurtrier sa chance.

Ils fouillèrent la maison de la cave au grenier. Sans résultat. Le revolver demeura introuvable.

13

« *L'un de nous... l'un de nous... l'un de nous...* »

Quatre mots, inlassablement répétés, qui s'enfonçaient heure après heure dans des cerveaux réceptifs.

Cinq personnes... cinq personnes terrifiées. Cinq personnes qui s'épiaient mutuellement, qui ne prenaient même plus la peine de cacher leur état de tension.

Plus question de donner le change – plus question de bavarder pour sauver les apparences. Ils étaient cinq ennemis, unis par un même instinct de conservation.

Et voilà que, déjà, ils ressemblaient moins à des êtres humains. Ils régressaient au rang de la bête. Telle une vieille tortue à l'affût, le juge Wargrave restait immobile, le dos rond, l'œil vif, aux aguets. L'ex-inspecteur Blore paraissait maintenant plus fruste et plus lourdaud. Sa démarche feutrée était celle d'un animal. Ses yeux étaient injectés de sang. Il avait l'air féroce et stupide à la fois de la bête aux abois, prête à charger ses poursuivants. Philip Lombard, lui, paraissait avoir les sens plutôt aiguisés qu'affaiblis. Ses oreilles réagissaient au moindre bruit. Son pas était plus léger, plus

rapide ; son corps était souple et gracieux. Et, lèvres
retroussées sur ses longues dents blanches, il souriait souvent.

Vera Claythorne était très silencieuse. Elle restait la plupart du temps recroquevillée dans un fauteuil, le regard
perdu dans le vide. L'air hébété, elle faisait penser à un
oiseau qui s'est cogné la tête contre une vitre et qu'une main
a ramassé : terrifié, incapable de bouger, il y reste tapi, espé-
rant trouver son salut dans l'immobilité.

Armstrong avait les nerfs en piteux état. Il était ravagé
de tics et ses mains tremblaient. Il allumait cigarette sur
cigarette et les éteignait presque aussitôt. L'inaction à
laquelle ils étaient contraints semblait le miner plus que les
autres. Par moments, il déversait nerveusement un déluge
de paroles :

– Nous... nous ne devrions pas rester là à ne rien faire !
Il doit bien y avoir *quelque chose*... il y a sûrement, sûrement
quelque chose à faire ! Si nous allumions un feu ?...

– Par ce temps ? soupira Blore, accablé.

Il tombait à nouveau des cordes. Le vent soufflait par
rafales irrégulières. Le tambourinement déprimant de la
pluie les rendait fous.

Sans se concerter, ils avaient adopté une même ligne de
conduite. Ils restaient tous ensemble dans le salon. Une seule
personne à la fois quittait la pièce. Les quatre autres attendaient le retour de la cinquième.

– Ce n'est qu'une question de temps, dit Lombard. La
tempête va bien finir par se calmer, et nous pourrons alors
faire quelque chose : lancer des signaux... allumer des feux...
fabriquer un radeau, que sais-je !

Armstrong émit une sorte de gloussement :

– Une question de temps... De *temps* ? Mais nous n'en
avons pas, du temps ! Nous serons tous morts...

De sa petite voix claire, chargée d'une détermination pas-
sionnée, le juge Wargrave intervint :

– Pas si nous sommes prudents. Il faut que nous soyons
prudents...

Ils avaient déjeuné à l'heure habituelle, mais sans plus de cérémonie. Ils s'étaient installés tous les cinq dans la cuisine. À l'office, ils avaient découvert une importante réserve de conserves. Ils avaient ouvert une boîte de langue en gelée et deux boîtes de fruits au sirop. Ils avaient mangé debout, autour de la table de la cuisine. Puis, toujours groupés, ils avaient regagné le salon, s'y étaient assis – et étaient restés là, à s'épier du regard.

Désormais, leurs esprits étaient traversés de pensées hallucinatoires, fiévreuses, morbides...

« C'est Armstrong... il vient de me lancer un regard en biais... il a les yeux fous... complètement fous... Si ça se trouve, il n'est même pas médecin... Mais oui, c'est évident !... C'est un cinglé, échappé d'un asile et qui se fait passer pour un médecin... C'est ça... Est-ce qu'il faut que je prévienne les autres ?... que je me mette à hurler ?... Non, il ne faut pas le mettre sur ses gardes... Et puis il a l'air si équilibré par moments... Quelle heure est-il ?... Seulement 3 heures et quart !... Seigneur, la folie me guette, moi aussi... *Oui, c'est Armstrong...* Il est en train de m'épier... »

« On ne m'aura pas, *moi* ! Je suis de taille à me défendre... J'en ai vu d'autres... Où est ce revolver, bon Dieu ?... Qui est-ce qui l'a pris ?... Qui est-ce qui l'a en ce moment ?... Personne ne l'a sur lui – ça, c'est sûr. Tout le monde a été fouillé... Personne ne *peut* l'avoir... *Mais quelqu'un sait où il est...* »

« Ils deviennent fous... ils vont tous devenir fous... Ils ont peur de la mort... nous avons tous peur de la mort... *Moi*, j'ai peur de la mort... Oui, mais ça n'empêche pas la mort de frapper... *"Le corbillard de Monsieur est avancé !"* Où ai-je lu ça ? La fille... je vais surveiller la fille. Oui, je vais surveiller la fille... »

« 4 heures moins 20... seulement 4 heures moins 20... la pendule s'est peut-être arrêtée... Je ne comprends pas... non, je ne comprends pas... Ces choses-là n'arrivent pas dans la réalité... *et pourtant, c'est bien réel...* Pourquoi est-ce qu'on ne se réveille pas ? Réveille-toi... le Jour du Jugement... non,

pas ça ! Si seulement je pouvais réfléchir... Ma tête... Il se
passe quelque chose dans ma tête... elle va éclater... elle va
se fendre en deux... ça n'arrive pas, ces choses-là... quelle
heure est-il ? Seigneur ! seulement 4 heures moins le quart. »

« Je dois garder la tête froide... garder la tête froide... Le
tout est de garder la tête froide... Tout est parfaitement clair,
tout est au point. Mais personne ne doit rien soupçonner. Ça
devrait marcher. Ça doit marcher ! Il le faut ! Lequel ? C'est
toute la question : lequel ? Je pense... oui, je pense... oui,
lui. »

Ils sursautèrent tous en entendant l'horloge sonner 5
heures.

— Est-ce que quelqu'un... veut du thé ? demanda Vera.

Il y eut un moment de silence.

— J'en prendrai bien une tasse, articula enfin Blore.

Vera se leva :

— Je vais le préparer. Vous pouvez tous rester là.

— Je pense, ma chère petite, que nous préférons tous vous
accompagner et vous regarder faire, objecta le juge Wargrave d'une voix douce.

Vera ouvrit de grands yeux. Puis elle eut un rire bref, à
la limite de l'hystérie.

— Bien sûr ! dit-elle. Ça va de soi !

Cinq personnes allèrent dans la cuisine. Vera et Blore
préparèrent et burent leur thé. Les trois autres prirent du
whisky... après avoir ouvert une bouteille capsulée et utilisé
un siphon provenant d'une caisse clouée.

— Il faut que nous soyons très prudents..., murmura le
juge, un sourire reptilien sur les lèvres.

Ils regagnèrent le salon. Bien qu'on fût en été, la pièce
était plongée dans la pénombre. Lombard actionna l'inter-
rupteur, mais les lampes ne s'allumèrent pas.

— Bien sûr ! dit-il. Rogers n'étant pas là pour s'en
occuper, le groupe électrogène n'a pas été mis en route.

Après avoir hésité, il ajouta :

— Nous pourrions aller le faire démarrer...

– J'ai vu un paquet de bougies à l'office, déclara le juge Wargrave. Autant s'en servir.

Lombard sortit. Les quatre autres restèrent à s'observer mutuellement.

Il revint avec une boîte de bougies et une pile de soucoupes. On alluma cinq bougies que l'on répartit dans la pièce.

Il était 6 heures moins le quart.

*

À 6 h 20, incapable de rester plus longtemps immobile, Vera décida de monter dans sa chambre pour asperger d'eau froide sa tête et ses tempes douloureuses.

Elle se leva et se dirigea vers la porte. Puis, se rappelant qu'il n'y avait pas de lumière, elle revint prendre une bougie dans la boîte. Elle l'alluma, fit couler un peu de cire dans une soucoupe et l'y ficha solidement. Puis elle sortit de la pièce, fermant la porte derrière elle et laissant les quatre hommes ensemble. Elle monta l'escalier et longea le couloir jusqu'à sa chambre.

Comme elle ouvrait la porte, elle s'arrêta brusquement, clouée sur place.

Ses narines palpitèrent.

La mer... l'odeur de la mer à St Tredennick.

C'était ça. Impossible de s'y méprendre. Évidemment, ça sentait aussi la mer sur une île ; mais là, c'était différent. C'était l'odeur qu'elle avait sentie sur la plage ce jour-là – à marée basse, avec les rochers couverts d'algues qui séchaient au soleil.

« *Je veux nager jusqu'à l'île, miss Claythorne ! Pourquoi je peux pas nager jusqu'à l'île ?... »*

Horrible petit morveux, geignard et à qui on passait tous ses caprices ! Sans lui, Hugo serait riche... libre d'épouser la fille qu'il aimait...

Hugo...

Est-ce qu'elle ne se trompait pas ? Est-ce que Hugo

n'était pas là, près d'elle ? Non, il l'attendait dans la chambre...

Elle avança d'un pas. Un courant d'air venant de la fenêtre souffla la bougie. La flamme vacilla et s'éteignit...

Dans le noir, soudain, elle eut peur...

« Ne sois pas ridicule, se réprimanda-t-elle. Tu n'as rien à craindre. Les autres sont en bas. Tous les quatre. Il n'y a personne dans la chambre. C'est impossible. Tu te fais des idées, ma petite. »

Pourtant, cette odeur... l'odeur de la plage de St Tredennick... ce n'était pas un effet de son imagination. *C'était réel.*

Et il y *avait* quelqu'un dans la pièce... Elle venait d'entendre quelque chose... elle était sûre d'avoir entendu quelque chose...

Et alors qu'elle restait là, l'oreille aux aguets, une main froide et gluante lui frôla la gorge... une main mouillée, qui sentait la mer...

*

Vera hurla. Elle hurla, hurla... poussa des clameurs de peur panique... des appels à l'aide sauvages et désespérés.

Elle n'entendit pas le remue-ménage au rez-de-chaussée : chaise renversée, porte qu'on ouvre, pas précipités dans l'escalier. Elle n'avait conscience que de son indicible terreur.

Elle recouvra ses esprits en voyant des lueurs tremblotantes sur le seuil... des bougies... des hommes qui s'engouffraient dans la pièce.

– Bon sang, mais qu'est-ce que... ? Qu'est-ce qui se passe ? Nom de Dieu, mais qu'est-ce que c'est que ça ?

Elle frissonna, fit un pas en avant et s'effondra sur le plancher.

À demi consciente, elle sentit que quelqu'un se penchait sur elle, la forçait à courber la tête entre les genoux.

Une exclamation soudaine : « Bon sang, regardez-moi ça ! », la fit revenir à elle.

Elle ouvrit les yeux, leva la tête... et vit ce que regardaient les hommes aux bougies.

Un large ruban d'algue humide pendait du plafond. C'était ça qui, dans l'obscurité, s'était plaqué sur sa gorge. C'était ça qu'elle avait pris pour une main gluante, la main d'un noyé revenu d'entre les morts pour lui serrer le cou jusqu'à ce qu'il ne lui reste plus un souffle de vie !

Elle éclata d'un rire hystérique :

— C'était une algue... rien qu'une algue... d'où l'odeur...

De nouveau, elle défaillit... des vagues de nausée se succédèrent. De nouveau, quelqu'un la força à se pencher en avant, la tête entre les genoux.

Des éternités semblèrent s'écouler. On lui offrait quelque chose à boire... on pressait le verre contre ses lèvres. Ça sentait le cognac.

Elle était sur le point d'avaler l'alcool avec gratitude quand, soudain, une mise en garde – une sonnette d'alarme – tinta dans son cerveau. Elle se redressa, écarta le verre.

— D'où vient ce cognac ? demanda-t-elle d'un ton brusque.

Blore la regarda un moment en silence avant de parler.

— Je l'ai pris en bas, finit-il par dire.

— Je ne le boirai pas ! s'écria Vera.

Un autre silence suivit, puis Lombard se mit à rire :

— Bravo, Vera ! Même si vous avez eu la plus belle frousse de votre existence, vous n'avez pas perdu le nord ! Je file vous chercher une bouteille non débouchée.

Il sortit rapidement.

— Ça va, maintenant, bredouilla Vera. Je vais boire un peu d'eau.

Armstrong l'aida à se mettre debout. Cramponnée à lui pour ne pas tomber, elle tituba jusqu'au lavabo, ouvrit le robinet d'eau froide et le laissa couler avant de remplir son verre.

– Ce cognac est tout ce qu'il y a d'O.K., grommela Blore d'un ton vexé.

– Qu'est-ce que vous en savez ? contra Armstrong.

– Je n'ai rien mis dedans, répliqua Blore, furibond. C'est ce que vous insinuez, je suppose ?

– Je ne dis pas que vous l'ayez fait, riposta Armstrong. Mais je prétends que vous auriez pu le faire, ou que quelqu'un d'autre aurait pu tripatouiller cette bouteille en prévision précisément de cet incident.

Lombard ne tarda pas à revenir.

Avec une bouteille de cognac intacte et un tire-bouchon.

Il brandit la bouteille capsulée sous le nez de Vera.

– Et voilà, mon petit. Pas l'ombre d'une entourloupe.

Il déchira le papier d'étain et fit sauter le bouchon :

– Encore heureux qu'il y ait une bonne réserve d'alcools dans la maison. Délicate attention de A.N. O'Nyme.

Un violent frisson parcourut Vera.

Armstrong tint le verre pendant que Philip versait le cognac.

– Vous feriez bien de boire ça, miss Claythorne, dit-il. Vous avez subi un sacré choc.

Vera en but une gorgée. Son visage reprit des couleurs.

– Eh bien ! voilà un meurtre qui ne s'est pas déroulé comme prévu ! s'écria Philip Lombard en riant.

– Vous pensez que... que c'était le but recherché ? murmura Vera, presque dans un souffle.

Lombard hocha la tête :

– On espérait vous faire mourir de peur ! Ça aurait pu marcher avec d'autres, pas vrai, docteur ?

– Hum... impossible à dire, répondit Armstrong sans se compromettre. Sujet jeune et en bonne santé... pas de faiblesse cardiaque... Douteux. D'un autre côté...

Il prit le verre de cognac que Blore avait apporté, y trempa un doigt, le goûta avec précaution. Son visage ne changea pas d'expression.

– Hum... le goût est normal, remarqua-t-il, perplexe.

– Si vous insinuez que je l'ai trafiqué, je vous casse la

gueule ! vociféra Blore, hors de lui, en faisant un pas en avant.

Revigorée par le cognac, Vera fit diversion :

— Au fait, où est le juge ?

Les trois autres se regardèrent.

— *Bizarre...* J'étais persuadé qu'il nous avait suivis.

— *Moi aussi...*, dit Blore. Votre avis, docteur ? Vous êtes monté derrière moi.

— Je croyais qu'il me suivait, répondit Armstrong. Remarquez, il devait grimper moins vite que nous. Ce n'est plus un gamin.

De nouveau, ils échangèrent un regard.

— C'est diablement étrange, murmura Lombard.

— Il faut aller à sa recherche ! s'exclama Blore.

Il se dirigea vers la porte. Les autres lui emboîtèrent le pas, Vera fermant la marche.

— Si ça se trouve, il est resté au salon ! lança Armstrong tandis qu'ils descendaient l'escalier.

Ils traversèrent le hall.

— Wargrave ! Wargrave ! Où êtes-vous ? appela Armstrong.

Pas de réponse. À part le tambourinement de la pluie, un silence de mort régnait dans la maison.

Sur le seuil du salon, Armstrong s'arrêta net. Les autres s'agglutinèrent autour de lui pour regarder par-dessus son épaule.

Quelqu'un poussa un cri.

Le juge Wargrave était assis dans son fauteuil à haut dossier, à l'autre bout de la pièce. Deux bougies allumées l'encadraient. Mais ce qui les stupéfia et les horrifia le plus, c'était qu'il siégeait en robe écarlate, avec une perruque de juge sur la tête...

Le Dr Armstrong fit signe aux autres de rester en arrière. Titubant comme un homme ivre, il s'approcha de la silhouette silencieuse, au regard fixe.

Il se pencha, scruta le visage figé. Puis, d'un geste vif, il souleva la perruque. Celle-ci tomba par terre, découvrant le front haut et dégarni – avec, au beau milieu, une marque ronde, poisseuse, d'où quelque chose avait coulé.

Le Dr Armstrong souleva la main inerte et chercha le pouls. Il se tourna vers les autres.

– *Tué d'une balle dans la tête...*, dit-il d'une voix sans timbre, morte, lointaine.

– Bon sang ! s'écria Blore. *Le revolver* !

– La balle a traversé le crâne... Mort instantanée..., poursuivait le médecin de la même voix inexpressive.

Vera ramassa la perruque.

– *L'écheveau de laine grise que miss Brent avait perdu...*, murmura-t-elle d'une voix frémissante d'horreur.

– *Et le rideau rouge qui avait disparu de la salle de bains...*, ajouta Blore.

– Voilà donc à quel usage on les destinait !... chuchota Vera.

Soudain, Philip Lombard éclata de rire – d'un rire haut perché, inquiétant :

– « *Cinq petits nègres étaient avocats à la cour, l'un d'eux finit en haute cour... – n'en resta plus que quatre !* » Ainsi finit Wargrave, le Pourvoyeur de la Potence. Plus jamais il ne prononcera de sentences ! Plus jamais il ne coiffera la toque noire ! C'est la dernière fois qu'il siège au tribunal ! Plus jamais il n'enverra des innocents à l'échafaud. Il rirait bien, Edward Seton, s'il était là ! Seigneur, comme il rirait !

Les autres furent surpris et choqués par son éclat.

– Pas plus tard que ce matin, s'écria Vera, vous prétendiez que c'était *lui* !

Philip Lombard changea de visage, redevint maître de lui.

– Oui, c'est vrai, dit-il à voix basse. Eh bien, je me trompais. Encore un de nous dont l'innocence a été prouvée... *trop tard* !

14

Ils avaient transporté le juge Wargrave dans sa chambre et l'avaient allongé sur son lit.

Puis ils étaient redescendus dans le hall et étaient restés plantés là, à se regarder.

— Et maintenant, qu'est-ce qu'on fait ? avait soudain demandé Blore d'une voix sourde.

— On va manger un morceau, avait répondu Lombard d'un ton guilleret. Il faut bien se nourrir, pas vrai ?

Une fois encore, ils se rendirent donc à la cuisine. Une fois encore, ils ouvrirent une boîte de langue en gelée. Ils mangèrent du bout des lèvres, sans goût.

— C'est la dernière fois que je mange de la langue, dit Vera.

Ils terminèrent leur repas. Et ils restèrent assis autour de la table à se regarder dans le blanc des yeux.

— Plus que nous quatre, marmonna Blore. *À qui le tour, maintenant* ?

Armstrong ne cilla pas.

— Il faut que nous soyons très prudents..., commença-t-il machinalement avant de s'arrêter net.

Blore hocha la tête :

— C'est ce qu'*il* disait toujours... Et maintenant, il est mort !

— Ce que je me demande, dit Armstrong, c'est comment ça a pu se passer.

Lombard émit un juron.

— Bougrement astucieuse, la diversion ! ricana-t-il. Cette cochonnerie suspendue dans la chambre de miss Claythorne a eu exactement l'effet désiré. Tout le monde a grimpé quatre à quatre, persuadé qu'*elle* était en train de se faire assassiner. Et là... profitant de l'affolement... quelqu'un a... a pris le vieux par surprise.

— Comment se fait-il que personne n'ait entendu le coup de feu ? s'étonna Blore.

Lombard secoua la tête :

— Miss Claythorne criait comme un cochon qu'on égorge, le vent hurlait, nous courions dans tous les sens en braillant. Non, il était impossible de l'entendre... Mais le truc ne pourra pas resservir, reprit-il après un temps de réflexion. Il va falloir qu'il trouve autre chose la prochaine fois.

— Qu'il y arrive ne fait guère de doute, pronostiqua Blore.

Sa voix avait une intonation déplaisante. Les deux hommes se mesurèrent du regard.

— Nous sommes quatre, dit Armstrong, et nous ne savons pas lequel...

— *Moi*, je le sais, l'interrompit Blore.

— Je n'ai pas le moindre doute..., dit Vera.

— Je pense que je le sais, au fond..., dit Armstrong avec lenteur.

— Et moi, je crois que je commence à avoir ma petite idée..., dit Philip Lombard.

De nouveau, ils se dévisagèrent...

Vera se remit sur pied tant bien que mal.

— Je ne me sens pas bien, dit-elle. Je vais me coucher... je suis rompue.

— Je vais en faire autant, dit Lombard. Pas la peine de rester là à se regarder en chiens de faïence.

— De mon côté, pas d'objection, dit Blore.

— C'est ce que nous avons de mieux à faire, murmura le médecin, même si je doute que nous arrivions à dormir.

Ils se dirigèrent vers la porte.

— *Ce que je me demande*, commenta Blore, *c'est où se trouve le revolver à l'heure qu'il est* !

*

Ils montèrent l'escalier.

La scène qui suivit n'aurait pas déparé une comédie burlesque.

Chacun des quatre s'arrêta, la main sur la poignée de sa porte. Puis, comme à un signal, chacun s'engouffra dans sa chambre et claqua la porte derrière soi. On entendit des bruits de serrures, de verrous et de meubles qu'on déplace.

Quatre personnes terrorisées venaient de se barricader jusqu'au matin.

*

Ayant calé une chaise sous la poignée de sa porte, Philip Lombard se détourna avec un soupir de soulagement.

D'un pas nonchalant, il se dirigea vers sa table de toilette.

À la lumière vacillante de la bougie, il examina son visage avec curiosité.

— Pas à dire, cette histoire t'a secoué, se murmura-t-il à lui-même.

Il eut son sourire subit, carnassier.

Il se déshabilla rapidement.

Il s'approcha du lit et posa sa montre sur sa table de chevet.

Puis il ouvrit le tiroir de la table.

Et il resta pétrifié, le regard fixé sur le revolver qui se trouvait là...

*

Vera Claythorne était couchée.

À côté d'elle, la bougie brûlait toujours.

Elle ne trouvait pas le courage de l'éteindre.

Elle avait peur de l'obscurité...

Elle n'arrêtait pas de se répéter : « *Tu es tranquille jusqu'à demain matin. Il ne s'est rien passé la nuit dernière. Il ne se passera rien cette nuit. Il ne peut rien arriver. La porte est fermée à clef et au verrou. Personne ne peut t'approcher...* »

Et, brusquement, elle pensa :

« Mais voilà ! Je n'ai qu'à rester ici ! Rester enfermée ! Tant pis pour la nourriture ! Je peux rester ici... en sécurité...

jusqu'à ce qu'on vienne à notre secours ! Même si ça doit durer un jour... deux jours... »

Rester ici. Oui, mais en serait-elle capable ? Rester ici, heure après heure... sans personne à qui parler, sans rien d'autre à faire que réfléchir...

Elle recommencerait à penser aux Cornouailles... à Hugo... à... à ce qu'elle avait dit à Cyril.

Insupportable gamin pleurnichard, toujours à la harceler...

— *Miss Claythorne, pourquoi j'ai pas le droit de nager jusqu'au rocher ? Je suis assez grand pour le faire. Je sais que je suis assez grand pour le faire.*

Était-ce vraiment elle qui avait répondu :

— *Mais oui, Cyril, tu es assez grand. Je le sais bien.*

— *Alors je peux y aller, miss Claythorne ?*

— *C'est que... vois-tu, Cyril, ta mère s'inquiète tellement pour toi. Écoute, voilà ce que nous allons faire. Demain, tu nageras jusqu'au rocher. Moi, je bavarderai sur la plage avec ta mère pour détourner son attention. Et quand elle te cherchera, tu seras déjà là-bas, sur le rocher, en train de lui faire de grands signes. C'est ça qui lui fera une surprise !*

— *Oh, vous êtes chic, miss Claythorne ! Ce qu'on va rigoler !*

Voilà, elle l'avait dit. Demain ! Le lendemain, Hugo devait aller à Newquay. Lorsqu'il reviendrait... ce serait terminé.

Oui, mais si jamais ça échouait ? Si ça ne se passait pas comme prévu ? Cyril serait peut-être secouru à temps. Et dans ce cas... dans ce cas, il dirait : « *Miss Claythorne m'a dit que j'étais assez grand.* » Et alors ? On n'a rien sans risque ! Si le pire venait à se produire, elle nierait froidement. « *Comment peux-tu faire un mensonge pareil, Cyril ? Tu sais très bien que je n'ai jamais dit ça !* » On la croirait à tous les coups. Cyril racontait souvent des bobards. On ne pouvait pas lui faire confiance. Cyril saurait, évidemment. Mais ça n'avait pas d'importance... et puis de toute façon, tout se passerait *bien*. Elle ferait semblant d'aller à son secours. Mais elle arriverait trop tard... Personne n'irait la soupçonner...

Hugo l'avait-il soupçonnée ? Était-ce pour ça qu'il l'avait regardée de cette manière bizarre, distante ?... Hugo avait-il *compris* ?

Était-ce pour ça qu'il était parti si précipitamment après l'enquête ?

Il n'avait pas répondu à l'unique lettre qu'elle lui avait écrite...

Hugo...

Vera se tournait et se retournait dans son lit. Non, non, elle ne devait pas penser à Hugo. Ça faisait trop mal ! Tout ça, c'était fini, bel et bien fini... Il fallait oublier Hugo.

Pourquoi, ce soir, avait-elle eu soudain l'impression que Hugo était avec elle dans la chambre ?

Elle regarda fixement le plafond, regarda le grand crochet noir qui était fixé au centre.

C'était la première fois qu'elle le remarquait, ce crochet.

C'était là que l'algue avait été suspendue.

Elle frissonna au souvenir de ce contact froid et visqueux sur son cou.

Ce crochet au plafond ne lui plaisait pas. Il vous attirait l'œil, il vous fascinait... Un grand crochet noir...

*

L'ex-inspecteur Blore était assis au bord de son lit.

Ses petits yeux, bordés de rouge et injectés de sang, étaient en alerte dans son visage massif. Il faisait penser à un sanglier sur le point de charger.

Il ne se sentait pas d'humeur à dormir.

La menace se précisait dangereusement... Six ôté de dix...

Malgré sa sagacité, malgré sa prudence et son astuce, le vieux juge avait subi le même sort que les autres.

Blore ricana avec une sorte de satisfaction sauvage.

Qu'est-ce qu'il disait, déjà, le vieux schnock ?

« Il faut que nous soyons très prudents... »

Vieil hypocrite, intransigeant et imbu de lui-même. Qui siégeait au tribunal en se prenant pour Dieu le Père. Il avait eu son compte, comme les copains... Plus besoin de se montrer prudent.

Ils n'étaient plus que quatre, maintenant. La fille, Lombard, Armstrong et lui.

Très bientôt, un autre allait encore y passer. Mais ce ne serait pas William Henry Blore. Il était bien décidé à y veiller.

(Mais le revolver... qu'était devenu le revolver ? C'était ça, le facteur inquiétant : le revolver !)

Blore était assis sur son lit, le front creusé de rides profondes ; ses paupières se plissèrent sur ses petits yeux porcins tandis qu'il réfléchissait au problème du revolver...

Dans le silence, il entendit l'horloge sonner, en bas.

Minuit.

Il se détendit un peu, alla même jusqu'à s'allonger sur son lit. Mais il ne se déshabilla pas.

Il se creusait la cervelle. Il récapitulait toute l'affaire depuis le début, méthodiquement, laborieusement, comme il le faisait du temps où il était dans la police. L'examen minutieux des faits finissait toujours par payer.

La bougie diminuait. Après s'être assuré qu'il avait les allumettes à portée de la main, il l'éteignit.

Chose étrange, il trouva l'obscurité inquiétante. Comme si des peurs millénaires se réveillaient en lui et s'évertuaient à prendre le contrôle de son esprit. Des visages fantomatiques flottaient dans l'air : le visage du juge, couronné de cette grotesque perruque de laine grise... le visage glacé, figé de Mrs Rogers... le visage convulsé, violacé d'Anthony Marston.

Et un autre visage... très pâle, avec des lunettes et une petite moustache couleur paille.

Un visage qu'il avait vu à un moment donné, mais quand ? Pas sur l'île. Non, ça remontait à beaucoup plus longtemps que ça.

Curieux qu'il n'arrive pas à mettre un nom dessus... Un

visage assez stupide, en vérité : le type avait l'air d'un bel empoté.

Mais bien sûr !

Ça lui revint brusquement, et ça lui causa un véritable choc.

Landor !

Bizarre, qu'il ait complètement oublié à quoi ressemblait Landor. Pas plus tard qu'hier, il avait essayé – sans succès – de se rappeler quelle tête il avait.

Et voilà maintenant que ce visage lui apparaissait, clair et distinct jusque dans ses moindres détails, comme s'il l'avait encore vu la veille.

Landor avait une femme – un petit bout de femme toute menue, au visage soucieux. Et une gosse, aussi, une gamine de treize ou quatorze ans. Pour la première fois, il se demanda ce qu'elles étaient devenues.

(Le revolver. Qu'était devenu le revolver ? C'était beaucoup plus important.)

Plus il y réfléchissait, plus ça l'intriguait... Il ne comprenait pas cette histoire de revolver.

Quelqu'un, dans la maison, avait mis la main sur ce revolver...

En bas, l'horloge sonna 1 heure.

Blore fut interrompu net dans ses réflexions. Il s'assit, tous ses sens en alerte. Car il avait entendu un bruit – un très léger bruit – quelque part derrière la porte de sa chambre.

Quelqu'un rôdait dans la maison enténébrée.

La sueur perla à son front. Qui pouvait bien se promener ainsi, en cachette et à pas feutrés, dans les couloirs ? Quelqu'un qui n'avait certainement pas de bonnes intentions, il était prêt à le parier !

Sans bruit, malgré sa corpulence, il sauta à bas de son lit et, en deux enjambées, alla coller son oreille à la porte.

Mais le bruit ne se reproduisit pas. Blore était pourtant convaincu de ne pas s'être trompé. Il avait entendu des pas juste derrière sa porte. Ses cheveux se hérissèrent sur son crâne. De nouveau, il connut la peur...

Quelqu'un rôdait furtivement dans la nuit.

Il écouta... mais le bruit ne se répéta pas.

À présent, une nouvelle tentation l'assaillait. Il avait une envie folle d'aller voir ce qui se passait. Histoire de découvrir *qui* se promenait ainsi dans l'obscurité.

Mais ouvrir sa porte aurait été de la dernière imprudence. C'était sans doute précisément ce que *l'autre* attendait. Peut-être même avait-il fait du bruit exprès, afin de l'attirer dehors ?

Parfaitement immobile, Blore écoutait. Il entendait maintenant des bruits de tous les côtés : craquements, frôlements, mystérieux chuchotis... Mais son esprit réaliste, opiniâtre, les reconnaissait pour ce qu'ils étaient : des créations de son imagination enfiévrée.

Et puis soudain, il entendit un bruit qui n'avait *rien* d'imaginaire. Des pas. Très légers, très prudents, mais parfaitement audibles pour un homme qui, comme Blore, écoutait de toutes ses oreilles.

Les pas feutrés venaient du fond du couloir (les chambres de Lombard et d'Armstrong étaient plus éloignées de l'escalier que la sienne). Ils passèrent devant sa porte sans hésiter ni ralentir.

Au quart de seconde, Blore se décida.

Il fallait qu'il sache qui c'était ! Les pas avaient maintenant dépassé sa porte et se dirigeaient vers l'escalier. Où allait-il, cet individu ?

Quand Blore passait à l'action, il le faisait avec une rapidité étonnante pour un homme d'apparence si lourde et si lente. Il retourna vers son lit sur la pointe des pieds, empocha les allumettes, débrancha la lampe de chevet, l'empoigna et enroula le fil électrique autour du pied. C'était une lampe en chrome, montée sur un lourd socle en ébonite – une arme qui pouvait se révéler utile.

Sans bruit, il fonça ôter la chaise qui bloquait la poignée de la porte, puis, avec précaution, il tourna la clef dans la serrure et tira le verrou. Il sortit dans le couloir. De légers craquements montaient du hall. En chaussettes, Blore courut silencieusement vers l'escalier.

À cet instant, il comprit pourquoi il avait entendu si distinctement tous ces bruits. Le vent était tombé et le ciel avait dû s'éclaircir. Le clair de lune filtrait par la fenêtre du palier et éclairait le hall du rez-de-chaussée.

Blore n'eut que le temps d'entrevoir une silhouette qui sortait par la porte d'entrée.

Il dévalait l'escalier quand, soudain, il s'arrêta dans son élan.

Là encore, il avait bien failli faire une bêtise ! Qui sait si ce n'était pas une manœuvre destinée à l'attirer hors de la maison ?

Mais ce dont l'autre ne se doutait pas, c'est qu'il avait commis une erreur – qu'il venait de se livrer à Blore pieds et poings liés.

Car, des trois chambres occupées à l'étage, *l'une devait maintenant être vide*. Il suffisait de savoir *laquelle* !

Blore rebroussa chemin.

Il commença par frapper à la porte du Dr Armstrong. Pas de réponse.

Il attendit quelques instants, puis alla toquer chez Philip Lombard.

Cette fois, la réponse vint immédiatement :

– Qui est là ?

– Blore. Je crois qu'Armstrong n'est pas dans sa chambre. Attendez deux secondes.

Il alla jusqu'au bout du couloir et frappa à la dernière porte :

– Miss Claythorne ? Miss Claythorne ?

– Qui est-ce ? Que se passe-t-il ? cria Vera d'une voix étranglée par la peur.

– Rien de grave, miss Claythorne. Attendez un instant, je reviens.

Il retourna en courant vers la chambre de Lombard. La porte s'ouvrit au moment où il l'atteignait et Lombard apparut sur le seuil. Il tenait une bougie dans la main gauche. Il avait enfilé un pantalon par-dessus son pyjama. Sa main droite était enfoncée dans la poche de sa veste de pyjama.

— Bon Dieu, qu'est-ce que c'est que ce cirque ? fit-il d'un ton cassant.

Blore s'expliqua rapidement. L'œil de Lombard s'alluma :

— *Armstrong,* hein ? Ce serait donc *lui* notre oiseau !

Il se dirigea vers la chambre du médecin :

— Désolé, Blore, mais je ne crois que ce que je vois.

Il tambourina à la porte :

— Armstrong ! Armstrong !

Pas de réponse.

Lombard s'accroupit et regarda par le trou de la serrure. Il y introduisit son petit doigt avec précaution :

— La clef n'est pas dans la serrure !

— Autrement dit, il est sorti en fermant sa porte à double tour et en emportant la clef, décréta Blore.

Philip hocha la tête :

— Précaution élémentaire. *Nous le tenons, Blore...* Cette fois, *nous le tenons* ! Une seconde...

Il courut vers la chambre de Vera Claythorne :

— Vera ?

— Oui.

— Nous partons à la recherche d'Armstrong. Il n'est pas dans sa chambre. Quoi qu'il arrive, *n'ouvrez pas*. Compris ?

— Oui, j'ai compris.

— Si Armstrong vient vous dire que j'ai été tué, ou que Blore a été tué, *ne l'écoutez pas*. Vu ? N'ouvrez votre porte que *si nous vous le demandons tous les deux, Blore et moi*. Pigé ?

— Oui. Je ne suis pas encore complètement idiote.

— Parfait, dit Lombard.

Il rejoignit Blore :

— Et maintenant... sus à Armstrong ! La chasse est ouverte !

— Allons-y prudemment, dit Blore. Il a un revolver, ne l'oubliez pas.

Tout en dévalant l'escalier, Philip Lombard gloussa :

– Ça, c'est ce qui vous trompe !

Il ouvrit la porte d'entrée et remarqua au passage :

– Loquet repoussé – de façon à pouvoir rentrer sans problème... Le revolver, c'est moi qui l'ai ! poursuivit-il en le sortant à moitié de sa poche. Je l'ai retrouvé ce soir, là où on me l'avait remis : dans ma table de chevet.

Blore s'arrêta net. Son visage avait changé d'expression. Philip Lombard s'en aperçut :

– Ne soyez pas grotesque, Blore ! Je ne vais pas vous tirer dessus ! Retournez vous barricader dans votre chambre si vous voulez ! Moi, je pars à la recherche d'Armstrong.

Il s'éloigna dans le clair de lune. Après quelques instants d'hésitation, Blore le suivit.

Il songea à part lui :

« Je l'aurai voulu. Mais après tout... »

Après tout, ce n'était pas la première fois qu'il avait affaire à des criminels armés de revolvers. Blore avait peut-être beaucoup de défauts, mais il ne manquait pas de courage. Il suffisait de lui montrer le danger pour qu'il fonce dans le tas. Il n'avait pas peur de se battre à découvert – ce qui le paniquait, c'était le danger vague, imprécis, teinté de surnaturel.

*

Réduite à attendre, Vera se leva et s'habilla.

À une ou deux reprises, elle jeta un coup d'œil à sa porte. C'était une bonne porte bien solide. Fermée à clef et au verrou, avec une chaise en chêne qui bloquait la poignée.

On ne pourrait pas l'enfoncer. En tout cas, pas le Dr Armstrong. Ce n'était pas une force de la nature.

À la place d'Armstrong, elle utiliserait la ruse plutôt que la force.

Pour se distraire, elle réfléchit aux différents moyens qu'il pourrait employer.

Il pouvait, comme Philip l'avait suggéré, lui annoncer

qu'un des deux autres était mort. Ou encore se traîner en gémissant devant sa porte en faisant semblant d'être mortellement blessé.

Il y avait d'autres possibilités. Il pouvait lui dire que la maison était en flammes. Mieux : il pouvait carrément y mettre le feu... Oui, c'était une possibilité. Attirer les deux autres à l'extérieur, arroser le plancher d'essence et y mettre le feu. Et elle, comme une idiote, resterait barricadée dans sa chambre jusqu'à ce qu'il soit trop tard.

Elle s'approcha de la fenêtre. Pas trop mal. À la limite, elle pourrait s'échapper par là. Évidemment, il lui faudrait sauter... mais il y avait une plate-bande pour amortir le choc.

Elle s'assit, prit son journal intime et se mit à écrire au fil de la plume.

Il fallait bien tuer le temps.

Soudain, elle se raidit. Elle avait entendu un bruit. On aurait dit un bruit de verre brisé. Et ça provenait du rez-de-chaussée.

Elle écouta de toutes ses forces, mais le bruit ne se répéta pas.

Elle entendit – ou crut entendre – des pas furtifs, des craquements dans l'escalier, un frou-frou de vêtements... mais rien de très précis et elle décida, tout comme Blore avant elle, que ces bruits avaient son imagination pour origine.

Mais elle entendit bientôt des sons plus concrets. Des gens qui remuaient en bas... des murmures de voix. Puis des pas décidés qui montaient l'escalier... des portes qui s'ouvraient et se fermaient... quelqu'un qui grimpait dans la mansarde. D'autres bruits venant de là-haut.

Et, finalement, des pas dans le couloir et la voix de Lombard :

– Vera ? Tout va bien ?

– Oui. Qu'est-ce qui s'est passé ?

La voix de Blore intervint :

– Vous voulez bien nous ouvrir ?

Vera alla à la porte. Elle ôta la chaise, tourna la clef dans la serrure et tira le verrou. Elle ouvrit le battant. Les deux hommes étaient essoufflés, leurs chaussures et le bas de leur pantalon étaient trempés.

– Qu'est-ce qui s'est passé ? répéta-t-elle.

Ce fut Lombard qui répondit :

– *Armstrong a disparu...*

*

– Quoi ? s'écria Vera.

– Volatilisé, dit Lombard.

– Volatilisé... c'est le mot ! renchérit Blore. Un véritable tour de passe-passe.

– C'est absurde ! répliqua Vera avec irritation. Il se cache quelque part.

– Non, justement pas ! riposta Blore. Croyez-moi, il n'y a aucun endroit où se cacher sur cette île. Elle est nue comme la main ! En plus, avec le clair de lune, on y voit comme en plein jour. *Il est introuvable.*

– Il a dû revenir ici, dit Vera.

– Nous y avons pensé, affirma Blore. Nous avons fouillé la maison aussi. Vous avez dû nous entendre. *Il n'est pas ici*, ça je peux vous le garantir. Il s'est envolé... éclipsé, volatilisé...

– Je n'y crois pas ! protesta Vera, sceptique.

– C'est pourtant vrai, je vous assure, intervint Lombard.

Il marqua un temps avant d'ajouter :

– Il y a un autre petit détail à signaler. Un carreau de la fenêtre de la salle à manger a été brisé... *et il ne reste plus que trois petits nègres sur la table.*

15

Trois personnes prenaient leur petit déjeuner dans la cuisine.

Dehors, le soleil brillait. La journée était superbe. La tempête n'était plus qu'un mauvais souvenir.

Et, avec le changement de temps, un changement s'était produit dans l'humeur des prisonniers de l'île.

C'était comme s'ils venaient de se réveiller d'un cauchemar. Le danger était toujours présent, certes, mais c'était un danger qu'ils pouvaient affronter en plein jour. L'atmosphère de terreur paralysante, qui les avait enveloppés la veille au soir dans une chape de plomb tandis que le vent mugissait, s'était maintenant dissipée.

— Nous allons grimper jusqu'au point culminant de l'île et essayer d'envoyer des signaux lumineux avec un miroir, décréta Lombard. J'espère qu'un gamin astucieux se baladera sur les falaises et déchiffrera notre S.O.S. Nous pourrons aussi allumer un feu dans la soirée... mais il ne reste pas beaucoup de bois... et ils risquent de penser qu'on est tout bonnement en train de chanter, de danser et de se donner du bon temps.

— Il y en a certainement qui connaissent le morse, dit Vera. Alors on viendra nous chercher. Bien avant la nuit.

— Le temps s'est éclairci, d'accord, dit Lombard, mais la mer n'est pas encore calmée. Drôlement houleuse ! On ne pourra pas aborder l'île en bateau avant demain.

— Encore une nuit ici ! s'écria Vera.

Lombard haussa les épaules :

— Autant vous y faire ! Vingt-quatre heures suffiront, je pense. Si nous pouvons tenir jusque-là, nous serons tirés d'affaire.

Blore se racla la gorge :

— Nous devrions mettre les choses au clair. *Qu'est-ce qui a bien pu arriver à Armstrong ?*

— Ma foi, nous avons un indice, répondit Lombard. Il ne

reste plus que trois petits nègres sur la table. On dirait bien qu'Armstrong a avalé lui aussi son bulletin de naissance.

– Si c'est le cas, pourquoi n'avez-vous pas retrouvé son cadavre ? objecta Vera.

– Je ne vous le fais pas dire ! approuva Blore.

Lombard secoua la tête :

– Il n'y a pas à tortiller, c'est sacrément bizarre.

– On l'a peut-être jeté à la mer ? hasarda Blore.

– Qui ça, « on » ? Vous ? Moi ? répliqua Lombard d'un ton sec. Vous l'avez vu sortir de la maison. Vous êtes venu me trouver dans ma chambre. Nous sommes partis ensemble à sa recherche. Quand diable aurais-je trouvé le temps de le tuer et de le trimbaler de l'autre côté de l'île ?

– Ça, je n'en sais rien, répondit Blore. Mais il y a une chose que je sais.

– Laquelle ?

– Le revolver, dit Blore. C'est le vôtre. En ce moment, c'est vous qui l'avez. Rien ne prouve que vous ne l'avez pas eu tout le temps en votre possession.

– Allons, Blore, nous avons tous été fouillés !

– Oui, mais vous auriez pu le cacher avant, et le récupérer après.

– Bougre d'entêté ! Puisque je vous jure qu'on l'a remis dans mon tiroir. J'ai eu la surprise de ma vie quand je l'ai trouvé là.

– Et vous nous demandez d'avaler un truc pareil ? Pourquoi diable Armstrong – ou je ne sais qui d'autre – aurait-il remis ce machin en place ?

Lombard haussa les épaules, désemparé :

– Je n'en ai pas la moindre idée. C'est complètement dingue. Totalement inattendu. Inexplicable.

– C'est bien mon avis, opina Blore. Vous auriez pu inventer une meilleure histoire.

– Ça tendrait à prouver que je dis la vérité, non ?

– Je ne vois pas ça comme ça.

– Le contraire m'aurait étonné, gronda Philip.

– Écoutez, Mr Lombard, reprit Blore, si vous êtes aussi honnête homme que vous le prétendez...

– Depuis quand ai-je prétendu être honnête homme ? maugréa Philip. Non, je n'ai jamais dit ça.

– Si vous dites la vérité, poursuivit Blore, imperturbable, vous n'avez qu'une chose à faire. Tant que vous aurez ce revolver, nous serons à votre merci, miss Claythorne et moi. Pour être justes, il faudrait le mettre sous clef dans le coffre, avec le reste... et nous garderions les deux clefs comme avant, vous et moi.

Philip Lombard alluma une cigarette.

– Ne vous faites pas plus bête que vous n'êtes, susurra-t-il en soufflant sa fumée.

– Ce qui veut dire que vous n'êtes pas d'accord ?

– Non, je ne suis pas d'accord. Ce revolver est à moi. J'en ai besoin pour me défendre... et j'ai bien l'intention de le garder.

– J'en suis amené à tirer une conclusion simple..., dit Blore.

– À savoir que je suis A.N. O'Nyme ? Pensez ce qui vous chante, après tout ! Mais si tel est le cas, dites-moi un peu pourquoi je ne me suis pas servi de ce flingue pour vous descendre cette nuit ? J'en ai eu l'occasion une bonne vingtaine de fois.

Blore secoua la tête :

– Je n'en sais rien... mais c'est un fait. Vous deviez avoir vos raisons.

Vera, qui n'avait pas pris part à la discussion, sortit de son mutisme :

– Vous vous conduisez tous les deux comme des imbéciles.

Lombard la regarda :

– C'est-à-dire ?

– Vous avez oublié la comptine. Vous ne voyez pas qu'elle contient un indice ?

D'une voix lourde de sens, elle récita :

– *« Quatre petits nègres se baignèrent au matin,*

Poisson d'avril goba l'un
– n'en resta plus que trois. »

Elle enchaîna :

– *Poisson d'avril* ! Le voilà, l'indice essentiel. *Armstrong n'est pas mort...* Il a subtilisé le nègre en porcelaine pour nous faire croire qu'il l'était. Vous avez beau dire, Armstrong est encore sur l'île. Sa disparition n'est qu'un poisson d'avril hors saison à nous faire gober pour nous envoyer sur une fausse piste...

Lombard se rassit.

– Vous avez peut-être raison, au fond.

– Oui, mais dans ce cas, où est-il ? s'insurgea Blore. Nous avons fouillé partout. Dedans et dehors.

– Nous avons tous cherché le revolver sans le trouver, n'est-ce pas ? répliqua Vera avec dédain. Et pourtant, il était bien quelque part !

– Il y a une légère différence de calibre entre un homme et un revolver, vous savez, se moqua gentiment Lombard.

– Je m'en fiche, dit Vera. Je suis sûre que j'ai raison.

– C'était quand même vendre plus ou moins la mèche, non ? murmura Blore. Parler carrément de « poisson d'avril » ... Il aurait pu changer un peu les paroles.

– Mais vous ne *comprenez* donc pas qu'il est *fou* ? s'écria Vera. C'est de la folie ! Coller comme ça à une comptine, c'est de la folie ! Déguiser le juge, tuer Rogers pendant qu'il débitait du petit bois... droguer Mrs Rogers pour qu'elle « s'endorme à jamais » ... lâcher une abeille dans la salle à manger avant de tuer miss Brent ! On dirait un jeu inventé par un enfant monstrueux. Il faut que tout concorde.

– Oui, vous avez raison, dit Blore. Quoi qu'il en soit, il n'y a pas de zoo sur cette île, reprit-il après avoir réfléchi un instant. Il aura du mal à se tirer de ce couplet-là.

– Mais vous ne comprenez donc rien à rien ? s'écria Vera. *Le zoo, c'est nous...* Hier soir, nous n'étions pratiquement plus des êtres humains. *Le zoo, c'est nous...*

*

Ils passèrent la matinée sur les falaises, face à la côte, à envoyer à tour de rôle des signaux à l'aide d'un miroir.

Rien n'indiquait que quelqu'un les ait captés. Aucun signal ne leur parvint en retour. La journée était belle, légèrement brumeuse. Au pied des rochers, la mer était agitée par une très forte houle. On ne voyait pas de bateau à l'horizon.

Ils avaient de nouveau fouillé l'île, sans résultat. Aucune trace du médecin disparu.

Vera regarda en direction de la maison et dit d'une voix un peu altérée :

— On se sent plus en sécurité ici, dehors... Ne retournons pas dans la maison.

— Pas mauvaise, cette idée, approuva Lombard. Ici on ne risque rien ; personne ne peut s'approcher sans qu'on le repère longtemps à l'avance.

— Nous resterons ici, se réjouit Vera.

— Il faudra quand même qu'on passe la nuit quelque part, intervint Blore. À ce moment-là, nous serons bien obligés de rentrer.

— Je ne pourrai pas le supporter, frissonna Vera. Je ne serai jamais capable de passer encore une nuit là-haut !

— Bouclée dans votre chambre, vous serez en sécurité, fit remarquer Philip.

— Oui, peut-être bien, soupira Vera.

Écartant les bras, elle murmura :

— C'est si bon, de sentir à nouveau la caresse du soleil...

« C'est bizarre..., pensait-elle, je suis presque heureuse. Et pourtant, je suppose que je suis vraiment en danger... Mais maintenant, à la lumière du jour, rien ne semble avoir d'importance... J'ai l'impression de posséder tous les pouvoirs... j'ai l'impression que je ne peux pas mourir... »

Blore regarda sa montre.

— Il est 2 heures, grommela-t-il. Et le déjeuner ?

— Je ne retourne pas dans cette maison, répéta Vera avec obstination. Je reste ici – à l'air libre.

– Allons, miss Claythorne. Il ne faut pas que vous perdiez vos forces.

– Si je vois encore une boîte de langue, je vomis ! répliqua Vera. Je ne veux rien avaler. Il y a des gens qui suivent un régime et qui ne mangent rien pendant des jours et des jours.

– Oui, eh bien, moi, j'ai besoin de me nourrir trois fois par jour, dit Blore. Et vous, Mr Lombard ?

– La perspective d'ingurgiter de la langue en conserve ne me tente pas particulièrement, vous savez, répondit Philip. Je vais rester ici avec miss Claythorne.

Comme Blore hésitait, Vera lui dit :

– Ne vous en faites pas pour moi. Je ne pense pas qu'il va me tirer dessus dès que vous aurez le dos tourné, si c'est ce que vous craignez.

– Puisque c'est vous qui le dites..., acquiesça Blore. Mais je vous signale qu'on avait convenu de ne pas se séparer.

– C'est vous qui insistez pour vous jeter dans la gueule du loup, fit remarquer Philip. Mais si vous voulez, je vous accompagne.

– Pas question ! fit Blore avec un mouvement de recul. Vous, vous restez ici.

Philip éclata de rire :

– Vous persistez à avoir peur de moi ? Voyons, je pourrais vous descendre tous les deux à l'instant même pour peu que ça me chante !

– Oui, mais ça ne collerait pas avec la comptine, répliqua Blore. C'est un à la fois, que ça se passe – et puis pas n'importe comment.

– Dites donc, nota Philip, vous m'avez l'air drôlement au courant, vous !

– Évidemment, reprit Blore, c'est un peu angoissant d'aller comme ça tout seul dans la maison...

– Autrement dit, *pourrais-je vous prêter mon revolver* ? susurra Philip. La réponse est : *non* ! Pas si simple que ça, merci bien.

Avec un haussement d'épaules, Blore entreprit de grimper le raidillon menant à la terrasse.

– L'heure du repas au zoo ! ricana tout bas Lombard. Les animaux ont des habitudes très régulières !

– Est-ce que ce n'est pas très risqué, ce qu'il fait ? s'inquiéta Vera.

– Au sens où vous l'entendez... non, je ne pense pas ! Armstrong n'est pas armé et, de toute façon, Blore est trois fois plus costaud que lui, sans compter qu'il est sur ses gardes. Et puis de toute manière, il est rigoureusement impossible qu'Armstrong soit dans la maison. Je *sais* qu'il n'y est pas.

– Mais alors... qu'est-ce qui reste comme autre solution ?

– Il y a Blore, répondit doucement Philip.

– Oh !... Vous pensez vraiment que... ?

– Écoutez, mon petit. Vous avez entendu sa version des événements de cette nuit. Vous êtes bien obligée d'admettre que, si elle est vraie, *je n'ai rien à voir dans la disparition d'Armstrong*. Le témoignage de Blore me met hors de cause. *Mais ça ne le met pas hors de cause, lui.* Nous n'avons que sa parole lorsqu'il affirme avoir entendu des pas, avoir vu un homme descendre l'escalier et sortir de la maison. C'est peut-être un mensonge de bout en bout. Il a très bien pu se débarrasser d'Armstrong deux heures avant.

– Comment ?

Lombard haussa les épaules :

– Ça, nous n'en savons rien. Mais si vous voulez mon avis, nous n'avons qu'un seul danger à redouter... et ce danger, c'est Blore ! Que savons-nous de lui ? Moins que rien ! Cette histoire d'ex-policier, c'est peut-être de la foutaise ! Il pourrait aussi bien être un milliardaire fou... un homme d'affaires cinglé... un pensionnaire de Broadmoor en cavale. Une chose est sûre : il a *pu* commettre chacun de ces crimes, sans exception.

Vera avait pâli.

– Supposez, balbutia-t-elle, supposez qu'il arrive à... à nous avoir ?

Lombard tapota son revolver à travers sa poche.

— Je vais prendre bien garde à ce qu'il n'y arrive pas, répondit-il avec douceur.

Il la regarda avec curiosité :

— Vous avez une touchante confiance en moi, pas vrai, Vera ? Vous en êtes sûre, que je ne vais pas vous tuer ?

— Il faut bien faire confiance à quelqu'un, dit-elle. Pour en revenir à Blore, je pense que vous avez tort. Je persiste à croire que c'est Armstrong.

Elle se tourna soudain vers lui :

— Vous n'avez pas l'impression... tout le temps... qu'il y a *quelqu'un* ? Quelqu'un qui nous observe et qui attend ?

— Simple nervosité, marmonna Lombard non sans réticence.

Vera insista :

— Alors vous avez ressenti ça, vous aussi ?

Elle frissonna et se pencha un peu plus vers lui :

— Dites... vous ne pensez pas que...

Elle s'interrompit, puis reprit :

— J'ai lu un livre autrefois... c'était l'histoire de deux juges qui débarquaient dans une petite ville américaine... envoyés par la Cour Suprême. Ils rendaient la justice... la Justice Absolue. *Car... ils n'étaient pas de ce monde...*

Lombard haussa les sourcils :

— Des visiteurs célestes, hein ? Non, je ne crois pas au surnaturel. Et puis cette manie de juger... il y a un cerveau humain derrière tout ça.

— Par moments... je n'en suis pas si sûre, dit Vera dans un souffle.

Lombard la regarda.

— Ça, c'est la voix de la conscience..., diagnostiqua-t-il.

Et, après un instant de silence, il ajouta d'un ton uni :

— Alors comme ça, vous l'avez bel et bien envoyé se noyer, ce gamin ?

— Je ne l'ai pas envoyé se noyer ! protesta Vera avec véhémence. Je n'ai pas fait ça ! Vous n'avez pas le droit de dire une chose pareille !

Il eut un rire décontracté :

— Oh, que si, vous l'avez fait, ma poulette ! Mais ce que je ne comprends pas, c'est pourquoi vous l'avez fait. Ça me dépasse. Il devait y avoir un homme dans l'histoire. Exact ?

Une soudaine lassitude, une immense fatigue envahirent Vera. D'une voix éteinte, elle répondit :

— Oui... il y avait un homme...

— Merci, dit doucement Lombard. C'est tout ce que je voulais savoir...

Vera se redressa d'un bond.

— Qu'est-ce que c'est ? s'exclama-t-elle. Un tremblement de terre ?

— Non, non, dit Lombard. Mais c'est bizarre... un choc sourd a secoué le sol. Et j'ai cru... vous n'avez pas entendu une sorte de cri ? Moi si.

Ils regardèrent la maison.

— Ça venait de là, dit Lombard. Nous ferions pas mal d'aller voir.

— Ah, non ! Pas question.

— Comme il vous plaira. Moi, j'y vais.

— Bon, d'accord, je vais avec vous, gémit-elle, au comble du désarroi.

Ils grimpèrent jusqu'à la terrasse. Inondée de soleil, elle offrait désormais un aspect paisible, inoffensif. Ils hésitèrent un instant. Puis, au lieu d'entrer par la grand-porte, ils firent avec précaution le tour de la maison.

Ils découvrirent Blore. Bras et jambes écartés, il gisait entre deux plates-bandes, le crâne réduit en bouillie par un gros bloc de marbre blanc.

Philip leva la tête :

— C'est la fenêtre de quelle chambre, au-dessus ?

— La mienne, répondit Vera d'une voix basse et tremblante. *Et ça, c'est la pendule qui était sur ma cheminée...* Je la reconnais. Elle avait la... la forme d'un ours.

Elle répéta en chevrotant :

— Elle avait la forme d'un ours...

*

Philip la saisit par l'épaule.

— Voilà qui règle la question, gronda-t-il, farouche. Armstrong se cache quelque part dans la maison. Je vais le débusquer.

Mais Vera se cramponna à lui.

— Ne faites pas l'idiot ! s'écria-t-elle. C'est *nous*, à présent ! Nous sommes les prochains ! Il veut que nous partions à sa recherche ! C'est ce qu'il *attend* !

Philip s'arrêta.

— Il y a de l'idée dans ce que vous dites, murmura-t-il, songeur.

— En tout cas, vous devez avouer maintenant que j'avais raison.

Il hocha la tête :

— Oui... vous avez gagné ! C'est bel et bien Armstrong. Mais où diable s'est-il caché ? Nous avons passé l'île au peigne fin.

— Si vous ne l'avez pas trouvé hier soir, *vous ne le trouverez pas maintenant*. Ça tombe sous le sens.

— Oui, convint Lombard à contrecœur, mais...

— Il a dû se préparer un repaire secret... oui, c'est sûrement ce qu'il a dû faire... Un genre de « trou du prêtre », comme dans les vieux manoirs.

— Pas dans une maison moderne comme celle-là.

— Il a pu le faire construire spécialement.

Philip Lombard secoua la tête :

— Nous avons tout mesuré le premier jour. Je suis prêt à jurer qu'il n'y a pas de fausses cloisons.

— Il y en a forcément ! s'emporta Vera.

— Je voudrais bien voir..., commença Lombard.

— Oui, vous voudriez bien voir ! l'interrompit Vera. Et ça, il le sait ! Il est là-dedans... à vous attendre.

Lombard sortit à moitié son revolver de sa poche :

— N'oubliez pas que j'ai ça.

– Vous avez dit que Blore ne risquait rien, qu'il était beaucoup plus costaud qu'Armstrong. Physiquement, c'était vrai, d'autant qu'il était sur ses gardes. Mais ce que vous n'avez pas l'air de comprendre, c'est qu'Armstrong est *fou* ! Or, un fou a tous les avantages pour lui. Il est deux fois plus rusé que n'importe quel homme sain d'esprit.

Lombard rempocha son revolver.

– Bon, venez, dit-il.

*

– Qu'est-ce que nous allons faire quand la nuit va tomber ? finit par demander Lombard.

Vera ne répondit pas. Il insista, accusateur :

– Vous n'avez pas pensé à ça ?

– Mais que *pouvons*-nous faire ? répondit-elle avec l'accent du désespoir. Oh, mon Dieu, je suis *terrorisée*.

– Le ciel est dégagé, dit Philip Lombard, songeur. Il y aura clair de lune. On devrait pouvoir trouver un abri... là-haut, dans les falaises. On pourrait y rester en attendant le lever du jour. *Mais il ne faudra pas nous endormir...* Nous devrons monter la garde en permanence. Et si quelqu'un s'approche, je lui tirerai dessus !

Il ajouta :

– Vous n'aurez pas froid, dans cette robe légère ?

– Froid ? répliqua Vera avec un rire rauque. J'aurais encore plus froid si j'étais morte.

– Oui, c'est un fait..., admit Lombard d'un ton uni.

Nerveuse, Vera s'agitait :

– Si je reste assise là une minute de plus, je vais devenir enragée. Marchons un peu.

– D'accord.

Ils firent lentement les cent pas en longeant la ligne de rochers qui dominait la mer. À l'ouest, le soleil déclinait. La lumière était douce et veloutée. Elle les enveloppait de sa clarté dorée.

– Dommage qu'on ne puisse pas se baigner, dit Vera avec un petit gloussement nerveux.

Philip, qui contemplait la mer, en contrebas, s'exclama soudain :

– Tiens, qu'est-ce que c'est que ça ? Vous ne voyez pas... là, près de ce gros rocher...? Non... un peu plus à droite.

Vera regarda avec curiosité :

– On dirait des vêtements !

– Un baigneur, hein ? fit Lombard en riant. Bizarre... C'est sans doute des algues.

– Allons voir, dit Vera.

– Ce sont bien des vêtements, dit Lombard lorsqu'ils furent plus près. Tout un paquet. J'aperçois une chaussure. Venez, tâchons d'arriver jusqu'au bord.

Non sans difficulté, ils progressèrent entre les rochers.

Soudain, Vera s'arrêta.

– *Ce ne sont pas des vêtements,* dit-elle. *C'est... un homme...*

Rejeté par la marée quelques heures plus tôt, le corps était coincé entre deux rochers.

Au prix d'un dernier effort, Lombard et Vera l'atteignirent enfin. Ils se penchèrent sur lui.

Un visage violacé, décoloré... un hideux visage de noyé...

– Bon Dieu ! s'écria Lombard. *C'est Armstrong...*

16

Des siècles passèrent... des mondes tourbillonnèrent, virevoltèrent... Le temps était immobile, suspendu... il traversait les âges...

Non, une minute à peine venait de s'écouler...

Deux personnes, debout, contemplaient le cadavre d'un homme...

Lentement, très lentement, Vera Claythorne et Philip Lombard relevèrent la tête et se regardèrent dans les yeux...

*

Lombard éclata de rire :

— Nous y voilà, n'est-ce pas, Vera ?

— Il n'y a plus personne sur l'île..., dit-elle d'une voix qui n'était guère qu'un murmure. Absolument plus personne... *à part nous deux...*

— Tout juste, dit Lombard. Nous savons donc à quoi nous en tenir, n'est-ce pas ?

— Comment est-ce que ça a bien pu être combiné... le coup de l'ours en marbre, je veux dire ?

Il haussa les épaules :

— Un tour de passe-passe, ma toute belle. Rudement bien exécuté...

De nouveau, leurs regards se croisèrent.

« *Comment se fait-il que je n'aie jamais convenablement regardé son visage ?* se dit Vera. *Un loup... un faciès de loup, voilà ce que c'est... Ces dents horribles...* »

D'une voix semblable à un grondement, une voix menaçante, hargneuse, Lombard décréta :

— C'est la fin, vous comprenez. Nous connaissons maintenant la vérité. *Et c'est la fin...*

— Je m'en rends bien compte..., répondit Vera avec calme.

Elle avait les yeux fixés sur la mer. Le général Macarthur aussi avait les yeux fixés sur la mer quand... — mais quand était-ce, au fait ? — ... hier seulement ? Ou bien était-ce avant-hier ? Et lui aussi, il avait dit : « *C'est la fin...* »

Il avait dit ça avec résignation... presque avec soulagement.

Mais chez Vera, ces mots — cette idée — ne suscitaient que révolte. Non, ça ne serait pas la fin.

Elle regarda le mort.

— Pauvre Dr Armstrong..., murmura-t-elle.

Lombard ricana :

– Qu'est-ce qui vous prend ? Vous nous faites le coup de la compassion ?

– Pourquoi pas ? Vous n'en éprouvez pas, vous ?

– Je n'en éprouve aucune pour vous, répondit-il. Ne comptez pas sur moi pour ça !

Vera posa de nouveau les yeux sur le cadavre :

– Il faut le sortir de là. Le transporter dans la maison.

– Pour qu'il rejoigne les autres victimes, j'imagine ? Pour que tout soit net et sans bavures ? En ce qui me concerne, il peut rester là où il est.

– Mettons-le au moins au sec, dit Vera.

– Si vous y tenez ! ricana Lombard.

Il s'arc-bouta et tira sur le corps. Vera s'appuya contre lui pour l'aider. Elle tira, hala de toutes ses forces.

– Pas si facile, dites donc ! haleta Lombard.

Ils parvinrent néanmoins à traîner le corps à l'écart, hors d'atteinte de la marée.

– Satisfaite ? demanda Lombard en se redressant.

– Tout à fait, répondit-elle.

Quelque chose dans le ton de sa voix alerta Lombard. Il se retourna d'un bloc. Mais il n'avait pas encore tâté la poche de sa veste qu'il savait déjà qu'elle était vide.

Vera avait reculé de quelques pas et lui faisait face, revolver au poing.

– Voilà pourquoi vous étiez si pleine de féminine sollicitude ! grinça Lombard. Vous vouliez me faire les poches, oui !

Elle hocha la tête.

Elle tenait l'arme bien en main, sans trembler.

Pour Philip Lombard, la mort était proche. Jamais elle n'avait été si proche.

Mais il ne s'avouait pas encore vaincu.

– Donnez-moi ce revolver ! dit-il d'un ton impérieux.

Vera se borna à rire.

– Allons, donnez-le-moi ! répéta Lombard.

Il réfléchissait à toute allure. Comment faire ? Quelle

méthode employer ? Palabrer ? Endormir sa méfiance ?
Bondir sur elle... ?

Toute sa vie, il avait choisi la voie du risque. Cette fois
encore, il n'y manqua pas.

Lentement, comme s'il voulait argumenter, il commença :

– Et maintenant, mon petit chou, écoutez-moi...

Sur quoi il bondit. Vif comme une panthère – ou comme
tout autre félin...

D'un geste instinctif, Vera pressa sur la détente...

Fauché en plein élan, Lombard demeura un instant immobile, le corps en extension, avant de s'effondrer lourdement
sur le sol.

Vera s'avança avec prudence, prête à tirer une seconde
fois.

Mais elle n'avait plus besoin d'être prudente.

Philip Lombard était mort, touché en plein cœur...

*

Le soulagement submergea Vera – un soulagement immense, exquis.

C'en était enfin terminé.

C'en était fini d'avoir peur. Fini de vivre sur les nerfs...

Elle était seule sur l'île...

Seule avec neuf cadavres...

Mais quelle importance ? Elle, elle était vivante...

Elle s'assit, délicieusement heureuse, délicieusement
sereine...

Fini, la peur...

*

Le soleil se couchait lorsque Vera se décida enfin à
bouger. Le contrecoup l'avait paralysée, rendue un moment
incapable d'éprouver autre chose que cette formidable
impression de sécurité.

Mais maintenant, elle avait faim et sommeil. Surtout sommeil. Elle avait envie de se jeter sur son lit et de dormir, dormir, dormir...

Demain, peut-être, on viendrait la secourir... mais, au fond, elle ne s'en souciait guère. Elle ne voyait plus d'inconvénient à rester ici. Plus maintenant qu'elle était seule...

Oh ! paix, paix bienheureuse...

Elle se mit sur ses pieds et leva les yeux vers la maison.

Plus rien à craindre, maintenant ! Plus rien de terrifiant ne l'y attendait ! Ce n'était à tout prendre qu'une maison moderne, ordinaire, bien conçue. Et dire que, quelques heures plus tôt, elle ne pouvait pas la regarder sans frissonner...

La peur... Quelle chose étrange que la peur !...

Eh bien, c'en était terminé, maintenant. Elle avait vaincu – triomphé d'un péril mortel. Grâce à sa présence d'esprit et à son habileté, elle avait retourné la situation et s'était débarrassée de celui qui voulait sa perte.

Elle se mit en marche vers la maison.

Le soleil se couchait. À l'ouest, le ciel était strié de longues traînées rouges et orangées. C'était beau, apaisant...

« C'est comme si tout ça n'avait été qu'un rêve », pensa Vera.

Ce qu'elle pouvait être fatiguée... exténuée ! Elle avait les membres ankylosés. Ses paupières se fermaient toutes seules. Plus besoin d'avoir peur... Dormir. Dormir... dormir... dormir...

Dormir en toute sécurité, puisqu'elle était seule sur l'île. *« Un petit nègre se retrouva tout esseulé... »*

Elle sourit.

Elle entra par la grand-porte. La maison, elle aussi, paraissait étrangement paisible.

« Normalement, se dit Vera, on ne devrait pas avoir envie de dormir dans une maison où il y a pratiquement un cadavre par chambre ! »

Si elle allait à la cuisine chercher quelque chose à manger ?

Après un instant d'hésitation, elle y renonça. Elle était vraiment trop fatiguée...

Elle s'arrêta devant la porte de la salle à manger. Il y avait encore trois petites figurines en porcelaine au milieu de la table.

— Vous avez du retard, dites-moi ! fit-elle en riant.

Elle en prit deux, qu'elle jeta par la fenêtre. Elle les entendit se briser sur la terrasse.

La troisième, elle la prit dans sa main.

— Toi, je t'emmène, dit-elle. Nous avons gagné, mon petit ! Nous avons gagné !

Le hall était sombre dans la lumière déclinante.

Le petit nègre bien serré dans sa main, Vera commença à monter l'escalier. Lentement, car elle avait soudain l'impression que ses jambes pesaient des tonnes.

« *Un petit nègre se retrouva tout esseulé.* » Ça se terminait comment, déjà ? Ah ! oui : « *Fou d'amour, s'en fut se marier – n'en resta plus... du tout.* »

Se marier... Curieux, d'avoir à nouveau cette impression soudaine que Hugo était dans la maison.

Une impression très forte. Oui, Hugo l'attendait en haut.

« Ne sois pas ridicule, se dit Vera. Tu es si fatiguée que tu imagines les trucs les plus invraisemblables... »

Lentement, marche après marche...

En haut de l'escalier, quelque chose lui échappa des mains et tomba sans bruit sur le tapis de haute laine. Elle ne s'aperçut pas qu'elle avait lâché le revolver. Elle avait seulement conscience de serrer entre ses doigts une petite figurine de porcelaine.

Comme elle était silencieuse, cette maison ! Et pourtant... on n'aurait pas dit une maison vide...

Hugo, en haut, l'attendait...

« *Un petit nègre se retrouva tout esseulé.* » C'était quoi, le dernier vers, déjà ? Une histoire de mariage, non ?... Ou bien s'agissait-il d'autre chose ?

Elle était arrivée devant la porte de sa chambre. Hugo l'attendait à l'intérieur... elle en était sûre et certaine.

Elle ouvrit la porte...

Elle réprima un cri...

Qu'est-ce que c'était qui pendait là, au crochet du plafond? *Une corde avec un nœud coulant tout prêt? Et une chaise pour grimper dessus... une chaise qu'il suffirait ensuite de culbuter d'un coup de pied...*

C'était ça, ce que voulait Hugo...

Et d'ailleurs, c'était en fait bien ça le dernier vers de la comptine.

« *Se pendre il s'en est allé – n'en resta plus... DU TOUT.* »

Le petit nègre en porcelaine lui échappa des mains. Sans même qu'elle s'en rende compte, il s'en alla rouler sur le tapis et se brisa contre le pare-feu.

Comme une automate, Vera fit un pas en avant, puis un autre. C'était la fin... ici, à l'endroit où la main froide et mouillée – la main de Cyril, bien entendu – lui avait frôlé la gorge...

« *Mais oui, Cyril, tu es assez grand pour nager jusqu'au rocher...* »

Voilà ce que c'était que de commettre un meurtre... ce n'était pas plus compliqué que ça !

Seulement après, on n'arrêtait plus d'y penser...

Elle monta sur la chaise, les yeux rivés droit devant elle comme une somnambule... Elle se passa le nœud autour du cou.

Hugo était là pour veiller à ce qu'elle fasse ce qu'elle avait à faire.

D'un coup de pied, elle fit culbuter la chaise...

Épilogue

— Mais cette histoire est invraisemblable ! s'emporta sir Thomas Legge, superintendant et directeur adjoint de Scotland Yard.

— Je sais, monsieur, répondit l'inspecteur Maine avec déférence.

— Dix cadavres sur une île ! reprit le digne superintendant. Et pas âme qui vive dans les parages ! Ça ne tient pas debout !

— Et pourtant, monsieur, c'est un *fait*, rétorqua l'inspecteur Maine, imperturbable.

— Bon sang, Maine, il faut bien que quelqu'un les ait tués, ces gens !

— C'est justement là le problème, monsieur.

— Rien qui puisse nous aider dans le rapport du médecin légiste ?

— Non, monsieur. Wargrave et Lombard ont été tués d'une balle de revolver, le premier dans la tête, le second en plein cœur. Miss Brent et Marston ont été empoisonnés au cyanure. Mrs Rogers est morte d'une trop forte dose de chloral. Rogers a eu le crâne fendu. Blore a eu la tête réduite en bouillie. Armstrong est mort noyé. Macarthur a eu le crâne fracassé par un coup porté derrière la tête et Vera Claythorne a été trouvée pendue.

Le superintendant cligna des paupières :

— Sale affaire.

Il réfléchit deux secondes. Puis il céda de nouveau à l'irritation :

— Et vous prétendez me faire croire que vous n'avez rien pu tirer des habitants de Sticklehaven ? Bon Dieu, ils doivent quand même bien savoir quelque chose !

L'inspecteur Maine haussa les épaules :

— Bah ! ce sont de braves gens de mer parfaitement ordinaires. Ils savent que l'île a été achetée par un certain O'Nyme – mais ça s'arrête là.

— Qui a approvisionné l'île et pris les dispositions nécessaires ?

— Un nommé Morris. Isaac Morris.

— Et lui, qu'est-ce qu'il dit de tout ça ?

— Il ne dit rien, monsieur. Il est mort.

Le superintendant fronça les sourcils :

— Et on a des renseignements sur ce Morris ?

— Oh ! oui, monsieur. Ce n'était pas le genre de type recommandable. Il y a de ça trois ans, il a été mêlé à l'affaire Bennito – une histoire de courtier marron et d'actions frauduleuses ; rien que nous ayons pu prouver, mais nous sommes sûrs du coup. Il a également été impliqué dans des trafics de drogue. Là encore, nous n'avons pas de preuve. C'était un homme très prudent, Morris.

— Et il était derrière cette histoire d'île ?

— Oui, monsieur. C'est lui qui s'était porté acquéreur de l'île du Nègre, tout en précisant bien qu'il agissait pour le compte d'une tierce personne, anonyme.

— On pourrait peut-être découvrir quelque chose en creusant l'aspect financier de l'acquisition ?

L'inspecteur Maine sourit :

— On voit que vous ne connaissiez pas Morris ! Il savait si bien jongler avec les chiffres que le meilleur expert-comptable du pays n'y verrait que du feu ! Nous avons eu un échantillon de ses talents au moment de l'affaire Bennito. Non, il a soigneusement brouillé la piste de son patron.

Le superintendant soupira.

— C'est Morris qui a pris toutes les dispositions là-bas, à

Sticklehaven, poursuivit l'inspecteur Maine. Il s'est présenté partout comme le mandataire de « Mr O'Nyme ». Et c'est lui qui a expliqué aux gens qu'on allait procéder à une expérience – suite à un prétendu pari de vivre pendant une semaine sur une « île déserte » – et qu'il ne faudrait tenir aucun compte d'éventuels appels à l'aide provenant de là-bas.

Sir Thomas Legge s'agita, troublé :

– Et vous voulez me faire croire que tout le monde a trouvé ça normal ? Même à ce moment-là ?

Maine haussa les épaules :

– Vous oubliez, monsieur, que le précédent propriétaire de l'île du Nègre était Elmer Robson, le jeune milliardaire américain. Il y donnait des fêtes extravagantes. Au début, les gens du cru devaient certainement en avoir les yeux qui leur sortaient de la tête. Mais ils ont fini par s'y habituer et par considérer que tout ce qui touchait à l'île du Nègre était forcément invraisemblable. C'est une réaction parfaitement naturelle, monsieur, quand on y réfléchit.

Le directeur-adjoint voulut bien convenir, d'un air lugubre, qu'il y avait du vrai là-dedans.

– Fred Narracott – le marin qui les a fait passer sur l'île – a tout de même noté un détail intéressant, enchaîna Maine. Il a déclaré qu'il avait été surpris en les voyant. Ils n'étaient « pas du tout comme les invités de Mr Robson ». Je crois d'ailleurs que c'est parce qu'ils avaient l'air si normaux et si quelconques qu'il a enfreint les ordres de Morris et sorti un bateau quand il a été mis au courant de leur S.O.S.

– Quand est-ce qu'ils y sont allés, lui et les autres sauveteurs ?

– Les signaux ont été repérés par une troupe de scouts dans la matinée du 11. Le temps ne permettait pas de prendre la mer ce jour-là. Ils ont donc fait la traversée dans l'après-midi du 12, dès qu'il a été possible de mettre une embarcation à l'eau. Ils sont tous formels : personne n'aurait pu quitter l'île avant leur arrivée. La mer n'avait pas cessé d'être grosse depuis la tempête.

– Personne n'aurait pu atteindre le rivage à la nage ?

– La côte est à plus d'un kilomètre et demi, la mer était houleuse, avec de grandes déferlantes. Sans compter qu'un tas de gens – boy-scouts et autres – se trouvaient sur les falaises et avaient les yeux rivés sur l'île.

– Et ce disque de gramophone que vous avez trouvé dans la maison ? soupira le superintendant. Vous n'avez rien déniché de ce côté-là qui puisse nous aider ?

– J'ai creusé la question, répondit l'inspecteur Maine. Le disque a été fourni par une société spécialisée dans les effets sonores pour le cinéma et le théâtre. Il a été envoyé à Mr A.N. O'Nyme, aux bons soins d'Isaac Morris, soi-disant pour la représentation, par une troupe d'amateurs, d'une pièce inédite. Le texte dactylographié a été retourné avec le disque.

– Et son contenu ? demanda Legge.

– J'y arrive, monsieur, répondit l'inspecteur avec gravité. Il s'éclaircit la gorge :

– J'ai enquêté sur ces accusations autant que faire se pouvait. En commençant par les Rogers, qui ont été les premiers à arriver sur l'île. Ils étaient au service d'une certaine miss Brady, laquelle est morte subitement. Je n'ai rien pu tirer de précis du médecin qui la soignait. Il dit qu'ils n'ont certainement pas empoisonné leur patronne ni rien de ce genre, mais il n'en pense pas moins qu'il y a eu un coup tordu – qu'elle est morte à la suite d'une négligence de leur part. Le genre de chose absolument impossible à prouver, comme il dit.

» Vient ensuite le juge Wargrave. Là, pas de problème. C'est le juge qui a condamné Seton à mort.

» Soit dit en passant, Seton était coupable – incontestablement coupable. On en a eu la preuve, sans l'ombre d'un doute, après sa pendaison. Mais on avait beaucoup jasé à l'époque : neuf personnes sur dix étaient convaincues que Seton était innocent et que le juge s'était montré partial.

» Vera Claythorne, elle, était gouvernante dans une famille où s'est produite une mort par noyade. Elle ne paraît néanmoins avoir aucune responsabilité dans l'affaire. Elle s'est même, au contraire, très bien conduite : elle s'est portée au secours de l'enfant, a été entraînée vers le large et n'a pu être sauvée que d'extrême justesse.

— Continuez, soupira le superintendant.

Maine reprit son souffle :

— Le Dr Armstrong, maintenant. Médecin réputé. Il avait son cabinet dans Harley Street. Absolument irréprochable sur le plan professionnel. Je n'ai pas trouvé trace d'une quelconque opération illégale – type avortement ou autre. Il est vrai qu'une certaine Mrs Clees a été opérée par ses soins à Leithmore, en 1925, quand il était interne à l'hôpital du lieu. Péritonite – et elle est morte sur le billard. Il n'avait peut-être pas été très adroit – après tout, il manquait d'expérience –, mais la maladresse ne saurait être considérée comme un crime. Par-dessus le marché, il n'avait rigoureusement aucun mobile.

» Vient ensuite miss Emily Brent. La jeune Beatrice Taylor était domestique chez elle. S'est trouvée enceinte, a été flanquée dehors par sa patronne et a couru se noyer. Sale histoire... mais, là encore, rien de criminel.

— Tout est là, on dirait, fit remarquer le superintendant. A.N. O'Nyme s'est occupé d'affaires où la justice s'était montrée impuissante.

Imperturbable, Maine poursuivit son énumération :

— Le jeune Marston était un véritable chauffard – Il s'était vu confisquer deux fois son permis et, à mon humble avis, il aurait dû être carrément interdit à vie. C'est tout ce qu'on peut lui reprocher. John et Lucy Combes, cités dans l'enregistrement, sont les deux gamins qu'il avait écrasés près de Cambridge. Des amis à lui avaient témoigné en sa faveur et il s'en était tiré avec une amende.

» Je n'ai rien trouvé de précis sur le général Macarthur. Excellents états de service, a fait 14-18 et tout le tremblement. Arthur Richmond avait servi sous ses ordres en France et avait été tué au front. Aucune mésentente entre le général et lui. Ils étaient quasi intimes, en fait. Des quantités de bourdes ont été commises à l'époque, des hommes sacrifiés sans nécessité par leurs chefs... Il s'agissait peut-être d'une erreur de ce genre.

— Peut-être, admit le superintendant.

— Philip Lombard, maintenant. Il a été mêlé à certaines opérations très bizarres, à l'étranger. Une ou deux fois, il a failli avoir des démêlés avec la justice. Il avait la réputation d'un type qui n'a pas froid aux yeux et que les scrupules n'étouffent pas. Le genre d'individu capable de commettre éventuellement quelques meurtres – pourvu que ce soit dans un bled perdu.

» Nous en arrivons enfin à Blore. Lui... lui, bien sûr, c'était un des nôtres, ajouta Maine après une hésitation.

Le superintendant s'agita sur son siège.

— Blore était une fripouille ! dit-il avec force.

— Vous le pensez, monsieur ?

— Je l'ai toujours pensé, répondit le superintendant. Mais il était assez malin pour ne pas se faire prendre. J'ai la conviction qu'il a fait un faux témoignage éhonté lors du procès Landor. Ça ne m'a pas plu, à l'époque. Mais je n'ai pas réussi à l'épingler. Harris, que j'avais mis sur l'affaire, a fait chou blanc lui aussi, mais je persiste à croire qu'il y avait quelque chose à trouver contre lui – à condition de savoir où chercher. Ce type n'était pas régulier.

Après un silence, sir Thomas Legge reprit :

— Et vous dites qu'Isaac Morris est mort ? Quand ça ?

— J'attendais cette question, monsieur. Isaac Morris est mort dans la nuit du 8 août. Trop forte dose de somnifère... un barbiturique, je crois. Rien ne permet de dire s'il s'agissait d'un accident ou d'un suicide.

— Vous voulez savoir ce que je pense, Maine ?

— Je crois le deviner, monsieur.

— La mort de Morris tombe rudement trop à pic ! dit Legge d'un ton accablé.

L'inspecteur Maine hocha la tête :

— Je pensais bien que vous alliez dire ça, monsieur.

Le superintendant abattit son poing sur le bureau :

– Cette histoire est abracadabrante... impossible ! Dix personnes assassinées sur un rocher dénudé... et nous ne savons ni qui a fait le coup, ni pourquoi, ni comment !

Maine toussota :

– Euh... ce n'est pas tout à fait exact, monsieur. Nous savons plus ou moins *pourquoi*. Un fanatique de justice ayant une araignée au plafond. Il a cherché des gens contre qui la justice ne pouvait que se casser le nez. Il a porté son choix sur dix personnes – peu importe de savoir si elles étaient vraiment coupables ou non...

Le superintendant se redressa :

– Vous croyez ? Moi, il me semble...

Il s'interrompit. L'inspecteur Maine attendit avec déférence. Legge secoua la tête en soupirant.

– Continuez, dit-il. J'ai cru un instant que je tenais quelque chose. La clef du mystère, en fait. Mais ça m'a échappé. Reprenez où vous en étiez.

– Il y avait dix personnes, enchaîna Maine. Dix personnes à... à exécuter, mettons. Or, elles ont bel et bien été exécutées. A.N. O'Nyme a accompli sa tâche. Après quoi, Dieu sait comment, il s'est volatilisé.

– Chapeau, le tour de passe-passe ! grommela le superintendant. Mais vous savez, Maine, il y a forcément une explication.

– Je vois votre idée, monsieur. Si notre homme n'était pas sur l'île à l'arrivée des secours, s'il n'a pas pu quitter l'île, et si – d'après le récit des intéressés – il n'a à aucun moment été sur l'île... alors, la seule explication possible est qu'il était en fait l'un des dix.

Le superintendant hocha la tête.

– Nous y avons songé, monsieur, dit gravement Maine. Nous avons creusé cette hypothèse. Précisons d'abord que nous ne sommes pas totalement dans l'ignorance de ce qui s'est passé sur l'île du Nègre. Vera Claythorne tenait un journal intime, Emily Brent aussi. Le vieux Wargrave a pris quelques notes – sèches, juridiques, laconiques, mais d'une parfaite clarté. Blore, lui aussi, a pris des notes. Tous ces témoignages écrits concordent. Les victimes sont mortes dans l'ordre suivant : Marston, Mrs Rogers, Macarthur, Rogers, miss Brent, Wargrave. Après la mort du juge, Vera Claythorne mentionne dans son journal que le Dr Armstrong a quitté la maison en pleine nuit et que Blore et Lombard se sont lancés à sa poursuite. Quant au calepin de Blore, on y trouve une dernière note – juste trois mots : *Armstrong a disparu.*

» En tenant compte de tous ces éléments, monsieur, il m'avait semblé que nous devions aboutir à une solution parfaitement acceptable. Si vous vous en souvenez, Armstrong s'est noyé. Partant du principe qu'Armstrong était fou, qu'est-ce qui l'empêchait, après avoir tué tous les autres, de se suicider en se jetant du haut de la falaise, ou de se noyer en essayant de rejoindre la côte à la nage ?

» C'était une bonne solution... Malheureusement, elle ne tient pas. Non, monsieur, elle ne tient pas. Tout d'abord, il y a le témoignage du médecin légiste. Il est arrivé sur l'île le 13 août en début de matinée. Il n'a pas pu nous apprendre grand-chose. Tout ce qu'il a pu nous dire, c'est que les victimes étaient toutes mortes depuis au moins trente-six heures et sans doute bien davantage. Mais il a été formel pour Armstrong. Selon lui, le corps du médecin a séjourné dans l'eau entre huit et dix heures avant d'être rejeté sur le rivage. Il s'ensuit qu'Armstrong a dû plonger dans la mer au cours de la nuit du 10 au 11... et je vais vous expliquer pourquoi. Nous avons repéré l'endroit où son cadavre a été rejeté ; il est resté un bon moment coincé entre deux rochers sur lesquels on a relevé des lambeaux de vêtements, des cheveux, etc. Il a dû être déposé là le 11, à marée haute... c'est-à-dire aux environs de 11 heures du matin. En effet, la tempête s'est ensuite calmée et les marées suivantes ont été de beaucoup plus faible intensité.

» On pourrait évidemment supposer qu'Armstrong a réussi à liquider les trois autres *avant* d'entrer dans l'eau cette nuit-là. Mais il y a un autre obstacle impossible à contourner. *Le corps d'Armstrong a été traîné au-delà du niveau des plus hautes eaux.* Quand nous l'avons retrouvé, il était largement hors d'atteinte de la marée. Et il était allongé sur le sol, bien droit et les vêtements en ordre.

» Ce qui établit au moins une chose : il y avait encore quelqu'un de *vivant* sur l'île *après la mort d'Armstrong.*

Il s'arrêta un instant avant de poursuivre :

– Ce qui nous laisse donc... quoi, au juste ? Voici quelle est la situation le 11, en début de matinée. Armstrong a « disparu » *(noyé).* Restent trois personnes : Lombard, Blore et Vera Claythorne. Lombard a été tué par balle. Son corps était au bord de l'eau... près de celui d'Armstrong. Vera Claythorne a été retrouvée pendue dans sa chambre. Blore était sur la terrasse, la tête fracassée par une lourde pendule de marbre qui, selon toute probabilité, lui est tombée dessus de la fenêtre du premier étage.

– Quelle fenêtre ?

– Celle de Vera Claythorne. Et maintenant, si vous le voulez bien, monsieur, examinons chaque cas séparément. Commençons par Philip Lombard. Admettons que ce soit lui qui ait balancé le bloc de marbre sur la tête de Blore, puis qu'il ait pendu Vera Claythorne après l'avoir droguée. Et que, pour finir, il soit descendu sur le rivage et se soit tiré une balle en plein cœur.

» Mais dans ce cas, *qui lui a pris son revolver* ? Car on a retrouvé l'arme au premier étage de la maison, sur le seuil de la chambre située en face de l'escalier... la chambre de Wargrave.

– Des empreintes ? demanda le superintendant.

– Oui, monsieur. Celles de Vera Claythorne.

– Bonté divine ! Mais alors...

– Je sais ce que vous allez dire, monsieur. Que c'est elle la coupable. Qu'elle a tué Lombard, rapporté le revolver dans la maison, balancé le bloc de marbre sur la tête de Blore, puis... qu'elle s'est pendue.

» Et ça se tient tout à fait... à un détail près. Il y a dans sa chambre une chaise sur le siège de laquelle on a relevé des traces d'algues... les mêmes que sur ses chaussures.

Comme si elle était montée sur la chaise, s'était passé la corde au cou et avait renversé la chaise d'un coup de pied.

» *Seulement voilà : la chaise n'était pas renversée quand on l'a retrouvée.* Elle était alignée contre le mur avec les autres. Et ça, ç'a été fait *par quelqu'un d'autre... après la mort de Vera Claythorne.*

» Reste donc Blore. Mais si vous essayez de me convaincre que Blore, après avoir tiré sur Lombard et forcé Vera Claythorne à se pendre, est sorti sur la terrasse et s'est fait tomber dessus un énorme bloc de marbre en le manœuvrant avec une ficelle ou je ne sais trop quoi... eh bien ! je ne vous croirai pas. On ne se suicide pas comme ça... et, qui plus est, ce n'était pas le genre de Blore. Nous, nous l'avons connu : ce n'était pas le type à qui on aurait pu reprocher un goût forcené de la justice.

— Je suis bien d'accord, acquiesça le superintendant.

— Par conséquent, monsieur, reprit l'inspecteur Maine, il y avait forcément *quelqu'un d'autre* sur l'île. Quelqu'un qui a réglé les derniers détails une fois que tout a été fini. Mais où était-il caché pendant tout ce temps... et où est-il allé ? Les gens de Sticklehaven sont sûrs et certains que personne n'a pu quitter l'île avant l'arrivée des secours. Mais dans ce cas...

Il se tut.

— Dans ce cas..., répéta le superintendant.

Il soupira. Il secoua la tête. Et il se pencha vers Maine.

— Mais dans ce cas, dit-il, *qui les a tués* ?

*

DOCUMENT MANUSCRIT ENVOYÉ À SCOTLAND YARD PAR LE PATRON DU CHALUTIER L'*EMMA JANE*

Dès ma plus tendre enfance, je me suis rendu compte que ma nature était un tissu de contradictions. Pour commencer, je suis doté d'une imagination incurablement romanesque.

Jeter à la mer une bouteille contenant un document important était une pratique qui ne manquait jamais de m'enthousiasmer quand, enfant, je lisais des romans d'aventures. Elle m'enthousiasme encore aujourd'hui, et c'est pourquoi j'ai adopté cette méthode : rédiger ma confession, l'introduire dans une bouteille, fermer ladite bouteille et la livrer aux flots. Il y a, je suppose, une chance sur cent pour qu'on retrouve un jour ma confession – et à ce moment-là (ou bien me flatté-je ?) une énigme criminelle demeurée sans solution trouvera enfin son explication.

Outre mon côté romanesque, j'ai reçu à la naissance des traits de caractère bien particuliers. Ainsi, j'éprouve un plaisir indéniablement sadique à voir mourir ou à causer la mort. Je me souviens d'expériences pratiquées sur des guêpes et sur divers insectes nuisibles... Dès mon plus jeune âge, j'ai connu avec intensité la volupté de tuer.

Mais ce trait coexistait avec un autre, contradictoire : un sens aigu de la justice. Qu'une personne ou une créature innocente puisse souffrir ou mourir par ma faute me révulsait. J'ai toujours été fermement convaincu que le droit devait prévaloir.

Avec une mentalité comme la mienne, on peut comprendre (un psychologue le comprendrait, je pense) que j'aie choisi de faire carrière dans la magistrature. La profession juridique satisfaisait pratiquement tous mes instincts.

Le crime et son châtiment m'ont toujours fasciné. J'adore tout ce qui est roman policier et thriller. J'ai inventé, pour mon amusement personnel, les méthodes les plus ingénieuses pour commettre un meurtre.

Ce secret instinct de ma nature trouva matière à développement lorsque vint pour moi le moment de présider un tribunal. Voir un misérable criminel prostré dans le box des accusés, en proie aux tourments des damnés tandis que se rapprochait lentement, inexorablement, l'heure de la sentence, me procurait un plaisir exquis. Mais attention : je n'éprouvais aucun plaisir à y voir un *innocent*. En deux occasions au moins, j'ai interrompu les débats dès que l'accusé m'est apparu manifestement innocent, et j'ai aiguillé le jury vers un non-lieu. Grâces en soient cependant rendues à la probité et à l'efficacité de notre police, la majorité des prévenus qui ont comparu devant moi pour meurtre se sont révélés effectivement coupables.

Je tiens à dire ici que tel était le cas du dénommé Edward Seton. Sa prestance et ses manières étaient trompeuses, et il a fait bonne impression sur le jury. Pourtant, non seulement les preuves – évidentes, sinon spectaculaires – mais ma propre connaissance des criminels m'avaient convaincu sans l'ombre d'un doute que cet homme avait bien commis le crime dont on l'accusait : l'assassinat brutal d'une vieille dame qui lui faisait confiance.

J'ai la réputation d'être le Pourvoyeur de la Potence, mais c'est injuste. Je me suis toujours montré rigoureusement équitable et scrupuleux dans mes conclusions.

Je ne cherchais qu'à mettre les jurés en garde contre leurs éventuelles réactions émotives face aux appels à l'émotion de nos ténors les plus portés sur l'émotion. J'attirais leur attention sur les preuves concrètes.

Depuis quelques années, j'avais remarqué chez moi un changement, une perte de hauteur... un désir croissant d'agir plutôt que de juger.

J'avais envie – reconnaissons-le franchement – *de commettre un meurtre moi-même*. J'assimilais cela au désir qu'a l'artiste de s'exprimer ! J'étais – ou pouvais être – un artiste du crime ! Mon imagination, sévèrement bridée par les devoirs de ma charge, s'épanouissait en secret avec une force colossale.

Il fallait, il fallait, il *fallait* que je commette un meurtre ! Et, qui plus est, pas un meurtre ordinaire ! Ce devait être un crime fantastique, stupéfiant, hors du commun ! À cet égard, j'ai encore, je crois, une imagination d'adolescent.

Je voulais commettre un crime théâtral, impossible !

Je voulais tuer... Oui, je voulais tuer...

Cependant, si incongru que cela puisse paraître, j'étais

entravé par mon sens inné de la justice. L'innocent ne doit pas souffrir.

Et puis, un beau jour, l'idée est née d'une remarque fortuite, entendue au cours d'un échange de banalités. Je parlais avec un médecin, un généraliste parfaitement quelconque. Il observa négligemment qu'il se commettait bien souvent des meurtres contre lesquels la loi ne pouvait rien.

Et il me cita le cas d'une vieille dame, une de ses patientes, qui venait de mourir. Il était convaincu que le décès était dû au fait que le couple de serviteurs qui s'occupait d'elle – et qui devait tirer de sa mort un bénéfice substantiel – avait sciemment omis de lui administrer son médicament. C'était impossible à prouver, disait-il, mais il était néanmoins absolument sûr de son fait. Il ajouta qu'il existait nombre de cas du même genre : des meurtres délibérés, hors d'atteinte de la justice.

C'est ainsi que tout a commencé. Ma voie était soudain tracée. Et j'ai décidé de commettre non pas un seul meurtre, mais toute une série de meurtres.

Une comptine qui avait bercé ma tendre enfance m'était revenue en mémoire : la comptine des *Dix petits nègres*. À l'âge de deux ans, elle m'avait fasciné par son inexorable suite de soustractions, par son côté inéluctable...

J'entrepris, en secret, de recruter des victimes...

Je ne m'étendrai pas ici sur les moyens que j'ai employés. J'avais mis au point une façon de diriger la conversation que j'utilisais avec presque tout le monde – et j'obtenais des résultats surprenants. C'est au cours d'un séjour en clinique que j'ai glané le cas du Dr Armstrong. Acharnée à me prouver les méfaits de l'alcool, l'infirmière qui s'occupait de moi, une virulente adepte de la tempérance, me raconta une affaire qui s'était passée bien des années auparavant : dans un hôpital, un médecin en état d'ébriété avait tué la malade qu'il opérait. En interrogeant négligemment l'infirmière sur l'établissement où elle avait été stagiaire, etc., j'ai vite obtenu les renseignements nécessaires. Et retrouver la trace du médecin et de la malade en question ne m'a pas posé de problème.

Une conversation entre vieux militaires bavards, à mon club, m'a mis sur la piste du général Macarthur. Un homme, de retour d'Amazonie, m'a brossé un tableau accablant des activités d'un certain Philip Lombard. À Majorque, une femme du monde indignée m'a rapporté l'histoire de la puritaine Emily Brent et de sa malheureuse servante. Quant à Anthony Marston, je l'ai sélectionné parmi un vaste groupe d'individus ayant commis des délits du même ordre. Son égoïsme foncier et son absence de sentiment de culpabilité vis-à-vis des deux morts qu'il avait provoquées en faisaient, à mes yeux, un individu dangereux pour autrui et inapte à la vie en société. Le cas de l'ex-inspecteur Blore s'est présenté à moi tout naturellement, un jour où des confrères magistrats discutaient haut et fort de l'affaire Landor. Son délit m'a paru particulièrement grave. En tant que serviteurs de la loi, les policiers sont tenus à une intégrité absolue. Car, en vertu de leur profession, leur parole n'est que rarement mise en doute.

Enfin, j'ai entendu parler du cas Vera Claythorne au cours d'une traversée de l'Atlantique. Un soir tard, je me suis trouvé seul au fumoir avec un bel homme du nom de Hugo Hamilton.

Hugo Hamilton était malheureux. Pour soulager sa peine, il avait bu une grande quantité d'alcool. Il en était au stade des confidences larmoyantes. Sans grand espoir de succès, j'ai automatiquement mis la conversation sur mes rails habituels. Le résultat a été saisissant. Aujourd'hui encore, je me souviens de ses paroles.

— Vous avez raison, m'a-t-il dit. Un meurtre, ce n'est pas ce que la plupart des gens s'imaginent : faire avaler à quelqu'un une bonne dose d'arsenic... le pousser du haut d'une falaise... j'en passe et des meilleures.

Il s'est penché vers moi et m'a soufflé son haleine dans la figure :

— J'ai connu une meurtrière... ce qui s'appelle *connu*.

Par-dessus le marché, j'étais fou d'elle... Bonté divine, je me demande parfois si je ne le suis pas encore... C'est l'enfer, ça, je vous prie de croire. L'enfer, je vous dis. Vous comprenez, elle a fait ça plus ou moins pour moi... Moi, j'étais à cent lieues de me douter... Les femmes sont démoniaques, absolument démoniaques... Comment imaginer qu'une fille comme elle... une fille droite, enjouée... comment imaginer qu'elle soit capable d'une chose pareille, dites ? Envoyer un gosse se noyer dans la mer... comment imaginer qu'une *femme* puisse faire une chose pareille ?

– Vous êtes sûr qu'elle l'ait fait ? lui ai-je demandé.

Il a paru soudain dégrisé :

– Sûr et certain, m'a-t-il répondu. À part moi, personne ne s'est douté de rien. Mais j'ai su la vérité à l'instant même où je l'ai regardée, quand je suis rentré – après... Et elle a compris que j'avais compris... Ce qu'elle ne savait pas, c'est que je l'aimais, ce gosse...

Il n'en a pas dit plus, mais il ne m'a pas été difficile d'exhumer l'affaire et de la reconstituer.

J'avais besoin d'une dixième victime. Je l'ai trouvée en la personne d'un dénommé Morris. C'était un sale petit bonhomme, une ignoble demi-portion. Entre autres choses, il était revendeur de cocaïne et c'était lui qui avait poussé la fille d'un de mes amis à se droguer. Elle s'était suicidée à vingt et un ans.

Pendant que je menais toutes ces recherches, mon plan avait progressivement mûri. Il était maintenant au point, et le facteur décisif en a été une consultation que j'ai eue chez un médecin de Harley Street. J'ai indiqué plus haut que j'avais subi une opération. Cette consultation à Harley Street m'a appris qu'une seconde opération ne servirait à rien. Mon médecin a joliment enveloppé la nouvelle, mais j'ai l'habitude d'interpréter les dépositions des témoins.

Je n'en ai rien dit à l'homme de l'art, mais j'ai décidé que je ne connaîtrais pas la mort lente et l'interminable agonie que me réservait la nature. Non, ma mort surviendrait dans un flamboiement d'émotions. Je *vivrais* avant de mourir.

Venons-en maintenant au processus criminel proprement dit. L'achat de l'île du Nègre, avec Morris comme prête-nom, a été relativement facile. Morris était expert en la matière. En me fondant sur les renseignements que j'avais recueillis sur mes victimes en puissance, j'ai pu concocter un appât adapté à chacun. Tout a marché comme je l'avais prévu. Le 8 août, tous mes invités arrivaient à l'île du Nègre. Je faisais moi-même partie du lot.

Le sort de Morris était déjà réglé. Il souffrait de maux d'estomac. Avant de quitter Londres, je lui avais donné un comprimé à prendre le soir avant de se coucher – remède qui, lui avais-je affirmé, avait fait merveille sur mes propres sucs gastriques. Il l'avait accepté sans hésiter – l'individu était quelque peu hypocondriaque. Je n'avais pas peur qu'il laisse derrière lui des notes ou des documents compromettants. Ce n'était pas le genre.

L'ordre des décès sur l'île avait fait l'objet de toute mon attention. Je considérais que mes invités n'étaient pas tous coupables au même degré. J'avais décidé que les moins coupables disparaîtraient les premiers, qu'ils ne connaîtraient pas la même angoisse, la même terreur interminable que les délinquants endurcis.

Anthony Marston et Mrs Rogers moururent les premiers, l'un instantanément, l'autre dans son sommeil. D'après moi, Marston n'avait pas reçu à la naissance, comme la plupart d'entre nous, le sens des responsabilités. Il était amoral... païen. Quant à Mrs Rogers, elle avait largement agi, sans l'ombre d'un doute, sous l'influence de son mari.

Je ne m'attarderai pas sur la manière dont je m'y suis pris pour les supprimer. La police l'aura compris sans mal. N'importe qui peut se procurer du cyanure de potassium pour détruire les guêpes. J'en avais en ma possession et je n'ai eu aucune difficulté à en mettre dans le verre presque vide de Marston pendant le moment d'affolement qui a suivi l'épisode du gramophone.

J'ai observé de près le visage de mes invités pendant la lecture de cet acte d'accusation et, compte tenu de ma longue expérience des tribunaux, je ne doute pas qu'ils étaient tous coupables, du premier au dernier.

Lors de récentes crises de douleur, le médecin m'avait prescrit du chloral comme somnifère. Il m'a été facile de m'en passer jusqu'à obtenir une dose mortelle. Quand Rogers a apporté le cognac à sa femme, il a posé le verre sur la table ; en passant, j'y ai glissé le poison. Cela n'a pas été bien sorcier car, à ce moment-là, la méfiance n'était pas encore de mise.

Le général Macarthur est allé à la mort sans souffrir. Il ne m'a pas entendu approcher. Bien sûr, j'ai dû choisir mon moment et quitter la terrasse avec précaution, mais tout s'est passé sans accroc.

Comme je m'y attendais, on a fouillé l'île et découvert qu'à part nous sept, il n'y avait personne. Cela a créé aussitôt un climat de suspicion. Selon mon plan, je devais avoir bientôt besoin d'un allié. J'ai choisi le Dr Armstrong pour ce rôle. C'était un individu facile à duper, qui me connaissait de vue et de réputation ; il était inconcevable pour lui qu'un homme de mon importance puisse être un meurtrier ! Ses soupçons se portaient sur Lombard et j'ai fait semblant d'abonder dans son sens. Je lui ai laissé entendre que j'avais un plan susceptible d'amener l'assassin à se trahir.

On avait fouillé toutes nos chambres, mais pas encore opéré de fouille corporelle. Cela ne devait cependant pas tarder.

J'ai tué Rogers le 10 août au matin. Occupé à débiter du bois pour allumer le feu, il ne m'a pas entendu approcher. J'ai trouvé la clef de la salle à manger dans sa poche. Il avait fermé la porte à double tour la veille au soir.

Dans la confusion qui a suivi la découverte du corps de Rogers, je me suis faufilé dans la chambre de Lombard et je lui ai subtilisé son revolver. Je savais qu'il en aurait apporté un : j'avais recommandé à Morris de le lui suggérer quand il s'entretiendrait avec lui.

Au petit déjeuner, j'ai versé ma dernière dose de chloral dans la tasse de miss Brent en lui resservant du café. Nous l'avons laissée seule dans la salle à manger. Je suis revenu furtivement un peu plus tard : elle était presque inconsciente et je n'ai eu aucun mal à lui injecter une solution concentrée de cyanure. Je reconnais que l'épisode de l'abeille était assez puéril, mais il m'a plu. Et puis j'avais envie de rester aussi près que possible de ma comptine.

Aussitôt après ça, ce que j'avais prévu est arrivé. En fait, je crois même que c'est moi qui l'ai suggéré. Nous avons tous été soumis à une fouille en règle. J'avais caché le revolver dans un endroit sûr, et je n'avais plus en ma possession ni cyanure ni chloral.

C'est à ce moment-là que j'ai proposé à Armstrong de mettre notre plan à exécution. Oh, rien de compliqué : je devais me poser en victime suivante. C'était censé inquiéter le meurtrier... et, en tout cas, cela me permettrait – puisque j'étais « mort » – de me déplacer à mon aise pour espionner l'assassin inconnu.

L'idée avait conquis Armstrong. Nous sommes passés à l'action le soir même. Un petit morceau de terre rougeâtre sur le front... le rideau rouge... l'écheveau de laine : la mise en scène était prête. À la lueur vacillante des bougies, l'éclairage était très incertain, et Armstrong devait être la seule personne à m'examiner de près.

Cela n'aurait pas pu mieux marcher. Miss Claythorne a ébranlé la maison de ses hurlements quand elle a découvert l'algue que j'avais eu l'aimable attention de suspendre dans sa chambre. Ils sont tous montés précipitamment, et j'ai pris ma pose d'homme assassiné.

L'effet produit sur eux, quand ils m'ont trouvé là, a comblé mon attente. Armstrong a joué son rôle en vrai professionnel. On m'a transporté en haut et allongé sur mon lit. Et plus personne ne s'est soucié de moi ; ils étaient tous trop morts de peur, trop terrifiés par le voisin.

J'avais donné rendez-vous à Armstrong derrière la maison, cette nuit-là, à 2 heures moins le quart. Je l'ai entraîné un peu à l'écart, au bord de la falaise. Je lui ai dit que, de là, nous pouvions voir si quelqu'un approchait et qu'en même temps nous étions hors de vue de la maison puisque les chambres donnaient de l'autre côté. Il ne se méfiait toujours pas... et pourtant, s'il s'était souvenu des paroles de la comptine, il aurait dû. « *Poisson d'avril goba l'un...* » De fait, il l'a bel et bien gobé.

Ç'a été enfantin. J'ai poussé une exclamation et je me suis penché au bord de la falaise en lui disant de regarder : est-ce que ce n'était pas l'entrée d'une grotte, là ? Il s'est penché à son tour. Une vigoureuse poussée lui a fait perdre l'équilibre et l'a envoyé faire un plat tout en bas, dans la mer houleuse. Sur quoi je suis rentré à la maison. Ce sont probablement mes pas que Blore a entendus dans le couloir. Quelques minutes après avoir pénétré dans la chambre d'Armstrong, j'en suis ressorti en faisant assez de bruit cette fois pour que personne ne puisse m'ignorer. Quand je suis arrivé en bas de l'escalier, une porte s'est ouverte au premier. Ils n'ont dû entrevoir qu'une silhouette lorsque je suis sorti par la grand-porte.

Ils ont perdu une minute ou deux avant de me suivre. J'ai fait le tour de la maison et je suis rentré par la fenêtre de la salle à manger, que j'avais laissée ouverte. Je l'ai fermée et j'ai brisé la vitre. Puis je suis remonté m'allonger sur mon lit.

J'avais prévu qu'ils fouilleraient de nouveau la maison, mais j'étais sûr qu'ils n'examineraient pas les cadavres de très près, qu'ils se contenteraient d'écarter le drap pour s'assurer qu'Armstrong ne jouait pas les gisants à la place d'une des victimes. Et c'est exactement ce qui s'est passé.

J'ai oublié de dire que j'avais rapporté le revolver dans la chambre de Lombard. Cela intéressera peut être quelqu'un de savoir où je l'avais caché pendant la perquisition ? Il y avait dans le garde-manger un tas de boîtes de conserve empilées. J'avais ouvert celle du dessous – une boîte de biscuits, je crois – et j'y avais enfoui le revolver, en replaçant ensuite la bande de ruban adhésif.

Je pensais bien que personne ne songerait à examiner une pile de boîtes de conserve apparemment intactes, d'autant que toutes celles du dessus étaient soudées.

Le rideau rouge, je l'avais caché à plat sous la tapisserie en chintz d'un des sièges du salon après avoir découpé un petit trou dans le coussin.

Arrivait maintenant le moment tant attendu : trois personnes qui avaient si peur les unes des autres que n'importe quoi pouvait arriver... *et l'une d'elles avait un revolver.* Je les observais des fenêtres. Quand Blore est arrivé seul, j'ai mis la grosse pendule de marbre en position. *Exit Blore...*

De ma fenêtre, j'ai vu Vera Claythorne tirer sur Lombard. Pas froid aux yeux, pleine de ressources, cette jeune femme... J'avais toujours eu dans l'idée qu'elle serait largement de taille à rivaliser avec lui. Sans perdre une seconde, je suis allé planter le décor dans sa chambre.

C'était une expérience intéressante sur le plan psychologique. Son sentiment de culpabilité, la tension nerveuse consécutive au fait qu'elle venait de tuer un homme, associés à la suggestion presque hypnotique du décor, suffiraient-ils à la pousser au suicide ? Je le pensais. Et j'avais raison. Vera Claythorne s'est pendue devant moi, qui m'étais caché dans l'ombre de la penderie.

Restait la dernière étape. J'ai ramassé la chaise et l'ai placée contre le mur. J'ai cherché le revolver, que j'ai trouvé en haut de l'escalier, là où il lui était tombé des mains. J'ai pris bien soin de ne pas brouiller les empreintes qu'elle y avait laissées.

Et maintenant ?

Je vais terminer d'écrire ma confession. Je la mettrai dans une bouteille scellée et je jetterai la bouteille à la mer.

Pourquoi ?

Oui, pourquoi ?

J'avais pour ambition *d'inventer* une énigme criminelle que personne ne pourrait résoudre.

Mais un artiste, je le constate aujourd'hui, ne saurait se

satisfaire de l'art en soi. On ne peut nier chez lui le besoin légitime d'être reconnu.

J'éprouve le désir pitoyablement humain – je l'avoue en toute humilité – de faire savoir à autrui à quel point j'ai été ingénieux...

Depuis le début, je suis parti du principe que le mystère de l'île du Nègre resterait insoluble. Mais, bien entendu, il se peut que la police se montre plus astucieuse que je ne le pense. Après tout, elle dispose de trois indices. Primo, elle sait parfaitement qu'Edward Seton était coupable. Par conséquent, elle sait que l'un des dix occupants de l'île n'était en aucune manière un assassin ; paradoxalement, il s'ensuit que c'est celui-là – en toute logique – qui doit être *le* meurtrier. Le second indice se trouve dans le septième couplet de la comptine. La mort d'Armstrong est associée à un « *poisson d'avril* » qui l'a gobé – ou, plus exactement, qu'il a gobé, lui. Autrement dit, à ce stade de l'affaire, il est clairement indiqué qu'il y a mystification... qu'Armstrong a trouvé la mort en s'y laissant prendre. Voilà qui pourrait orienter l'enquête dans une direction prometteuse. Car il ne restait plus alors que quatre personnes sur l'île et, de ces quatre personnes, j'étais de toute évidence la seule susceptible d'inspirer confiance au médecin.

Le troisième indice est d'ordre symbolique : la marque que la mort aura laissée sur mon front. Le signe de Caïn.

Il ne me reste plus grand-chose à ajouter.

Après avoir confié à la mer ma bouteille et son message, je monterai dans ma chambre et je m'allongerai sur le lit. À mon lorgnon est fixé ce qui a tout l'air d'un long cordon noir... – en réalité, c'est un élastique. De tout mon poids, je pèserai sur le lorgnon. Quant au cordon, je le passerai autour de la poignée de la porte et, à son extrémité, j'attacherai – pas trop solidement – le revolver. Selon moi, voici ce qui se passera.

Ma main, protégée par un mouchoir, pressera sur la détente puis retombera à mon côté. Le revolver, tiré par l'élastique, ira heurter la poignée de la porte ; sous le choc, il se détachera du cordon et tombera sur le seuil. L'élastique coulissera autour de la poignée et, libéré, reviendra alors pendre innocemment au lorgnon sur lequel mon corps repose. Le mouchoir ? Bah ! la présence d'un mouchoir sur le parquet, à portée de ma main, ne devrait pas susciter de commentaire.

On me retrouvera allongé sur mon lit, tué d'une balle dans le front, conformément aux notes laissées par mes compagnons d'infortune. D'ici que l'on procède à l'autopsie de nos cadavres, il sera impossible de déterminer avec exactitude l'heure de notre mort.

Quand la mer se calmera, des hommes viendront de la côte avec leurs bateaux.

Dix cadavres et un problème insoluble, voilà ce qu'ils trouveront sur l'île du Nègre.

Signé :

Lawrence Wargrave

Postface

CINQ PLUS CINQ ÉGALE MORT

« J'ai écrit *Dix Petits Nègres* parce que ce livre me semblait une telle gageure que l'idée m'a fascinée... » Toute la naïveté et l'insolence, toute la modestie et l'opiniâtreté de la femme et de la romancière Agatha Christie sont contenues dans cette petite phrase de son *Autobiographie*, jetée comme par négligence par celle qui n'aimait guère parler de ses livres. Il n'empêche que ce roman, paru au tout début de la Seconde Guerre mondiale, n'a cessé de représenter aux yeux d'un public sans cesse renouvelé, l'exemple même de la perfection en matière d'intrigue policière. Ou, si l'on préfère, d'ultime tour de passe passe au moyen duquel l'auteur de *detective novels* mystifie son lecteur jusqu'aux cinq dernières lignes de son récit...

Dix Petits Nègres est certainement le plus haut sommet de l'œuvre d'Agatha Christie, composée de soixante-six romans, une vingtaine de recueils de nouvelles, dix-huit pièces de théâtre et de quelques ouvrages non policiers. Écrit dans sa maturité par celle qui aimait se parer du titre de duchesse de la Mort, ce livre plonge ses racines dans l'enfance même de l'écrivain. C'est ce qui le rend tout à la fois simple et prenant et ce qui donne envie, aussi, de partir à la recherche de ses origines.

Dans les dernières années du XIXᵉ siècle, la famille Miller coulait des jours tranquilles dans le décor de la charmante et paisible station balnéaire de Torquay, perle de la Riviera anglaise. D'origine américaine, Frederick Miller avait épousé la belle et hautaine Clarissa Beochmer, surnommée Clara et pourvue – disait-on – de dons « psychiques ». Leurs deux premiers enfants, Margaret, dite Madge, et Monty, accueillirent avec joie la venue au monde de leur petite sœur Agatha Mary Clarissa, le 15 septembre 1890. Née sous le signe de la Vierge, Agatha fut élevée comme une enfant unique, son frère étudiant à Harrow et sa sœur fréquentant l'école de Miss Lawrence à Brighton. C'est ainsi que la petite fille, bien que soumise à la surveillance d'une nurse attentive et omnisciente, s'appropria, telle l'héroïne d'un conte de fées, les maîtres mystérieux d'une vaste demeure entourée d'opulentes vérandas, et située sur les hauteurs de Torquay dans Barton Road. Le royaume d'Agatha se nommait Ashfield et allait devenir le lieu de tous les enchantements et de toutes les aventures que cette petite personne douée d'une imagination déjà vive inventait avec la complicité de ses poupées. Mrs Miller, peut-être saisie du remords d'avoir un peu négligé l'éducation de ses aînés, décida un beau jour qu'Agatha n'irait pas à l'école. Quelle ne fut pas sa surprise en découvrant que l'enfant aux longs cheveux roux et au regard distant avait pour ainsi dire pris les devants, apprenant à lire seule, au fil des longs moments passés dans la bibliothèque familiale... Dès lors, les relations de Clara et de cette enfant singulière prirent un tour particulier. Frederick Miller, géant barbu et taciturne, fréquentait beaucoup le petit monde huppé de la côte et ne rentrait à Barton Road que pour y présider des dîners rassemblant notables et estivants célèbres – c'est ainsi que Rudyard Kipling et Henry James comptèrent au nombre des hôtes d'Ashfield.

Clara s'ingénia donc à parfaire l'éducation de sa fille, l'initiant à la lecture, aux mathématiques, à la broderie et au dessin, mais lui offrant aussi, en guise de récréation, l'eni-

vrant délassement d'interminables récits dont Agatha ne se
détachait qu'avec peine lorsque venait l'heure de se mettre
au lit. Alors, elle glissait sans heurt vers d'autres mondes
où s'agitaient des créatures surgies de son esprit enfiévré.
Mrs Green, Clover, Blackie, le Capitaine et Mrs Benson
étaient les noms de créatures effrayantes imaginées en
contrepoint des histoires de Clara.

Autre personnage non négligeable de la vie de la jeune
Agatha, Grannie, sa grand-mère, résidait à Ealing, une petite
ville des environs de Londres où s'établiront plus tard les
premiers studios de cinéma anglais. Dans son *Autobiographie*, Agatha évoque l'univers de Grannie : « La maison et
le jardin avaient pour moi un attrait fascinant. J'aimais
passer d'une pièce à l'autre en inventant des histoires. Je
rêvais devant le lit de Grannie, en acajou à baldaquin, orné
de rideaux damassés rouges. En bas se trouvait le grand
salon, garni à profusion de meubles en marqueterie et de
porcelaines de Dresde. » Arrêtons-nous à cette collection de
figurines finement modelées sur les personnages de la
Commedia dell'arte, Arlequin, Colombine, Polichinelle,
Pierrot et Pierrette. Les statuettes, précise encore Agatha,
étaient toujours plongées dans l'obscurité, alignées sur le
rebord d'une cheminée, leur vision dédoublée dans la pro-
fondeur verdâtre d'un miroir... L'imaginaire de l'enfant
absorbe l'émotion singulière émanant de ces personnages
figés dans l'éternité de leurs rôles, des rôles qu'elle ne peut
alors que réinventer, sans se douter encore qu'elle les asso-
ciera plus tard à la fiction extrême de *Dix Petits Nègres*.
Agatha n'oubliera jamais les figurines de Dresde. A l'orée
des années 20, elle composera une série de courts poèmes
– réunis ensuite dans l'unique recueil qu'elle publiera en
1924 – autour des personnages de la Commedia, sous le titre
« La comédie des arts ». Quelques années passeront, puis
elles se manifesteront encore, obsédantes, et pour la première fois sous forme des *dramatis personae* d'une nouvelle
policière, *Le Bal de la Victoire*. En 1930, Arlequin reviendra

hanter la romancière sous les traits fantomatiques de Mr Harley Quin...

A l'âge de seize ans, Agatha Miller fait irruption hors du monde protégé d'Ashfield. Entre-temps, Frederick est mort et la fortune familiale a rétréci comme une peau de chagrin. La domesticité de Barton Road s'est réduite, elle aussi, mais Clara garde le cap en dépit d'une santé chancelante. La mère et la fille embarquent bientôt pour l'Égypte et c'est au Caire, dans le décor des palaces peuplés de riches héritières et de jeunes et séduisants militaires, que notre héroïne connaîtra le baptême de l'amour éthéré.

De retour en Angleterre, Agatha n'est plus la même. De rallyes en thés dansants, elle commence à s'épanouir. Elle fréquente la jeunesse dorée de Torquay mais passe aussi beaucoup de son temps à lire des romans et des ouvrages traitant de spiritualisme et de mysticisme. Elle fait tourner des tables et c'est dans la veine des histoires de fantômes d'Amelia Edwards mêlée à celle des romans sentimentaux de May Sinclair qu'elle fait ses premiers pas en écriture. Certaines nouvelles qu'elle compose sous la surveillance de Clara verront le jour dans le recueil intitulé *Le Flambeau*, en 1933. Elle multiplie les pseudonymes et c'est tantôt Mac Miller, tantôt Sydney West qui se voient retourner des poèmes et des contes jugés peu convaincants par les rédacteurs des magazines londoniens. C'est à son voisin de Barton Road, l'écrivain régionaliste Eden Philpotts, qu'Agatha fera lire son premier roman, *Vision*, influencé par la lecture du *Mystère de la Chambre jaune* de Gaston Leroux. Car Madge, grande lectrice de romans mystérieux – *La Femme en blanc* de Wilkie Collins, *Le Secret de Lady Audley* de M.E. Braddon ou *East Lynne* de Mrs Wood – tente d'entraîner sa cadette vers des voies ouvertes par les auteurs de la fin de l'ère victorienne.

Mais, en dépit des encouragements de Philpotts, Agatha se laisse détourner d'une vocation naissante. Elle vient de tomber amoureuse d'un beau lieutenant d'artillerie, lui-même très épris et tous deux, bientôt, ne songent qu'à se marier. Malheureusement, la guerre menace et Archibald Christie part pour un camp d'entraînement du Royal Flying Corps. En août 1914, il est mobilisé. Le 25 décembre, ils se marient dans une chapelle des environs de Bristol.

Au cours des mois suivants, Agatha se rend utile. Elle s'engage comme infirmière dans un dispensaire de Torquay, et c'est au cours de ses heures de repos qu'elle a soudain l'idée du roman dans lequel apparaît pour la première fois Hercule Poirot, *La Mystérieuse Affaire de Styles*. Ce livre ne sera publié qu'en 1920, soit un an après la naissance de Rosalind, l'unique enfant d'Archibald et Agatha Christie.

C'est à Londres, où le jeune couple s'est installé, que débute la carrière littéraire d'Agatha. Celle-ci hésite encore entre le *detective novel* et le *thriller*, genre alors parfaitement maîtrisé par Edgar Wallace. Mais c'est le succès populaire d'une série de nouvelles mettant en scène Poirot, parues dans la revue *The Sketch*, qui convainc la romancière de s'abandonner aux artifices de l'énigme policière.

Lorsqu'elle doit, malgré tout, s'arracher au jeu fascinant des intrigues, Agatha ne peut que constater l'échec de sa vie conjugale. Le retour à la vie civile d'Archibald Christie a ressemblé à un mauvais réveil. Déprimé par un emploi peu exaltant dans la City, le mari d'Agatha prend ombrage de cette épouse absorbée par son labeur d'écrivain. À l'issue d'un long périple autour du monde qu'ils effectuent en 1922 en compagnie d'un excentrique ami d'Archie, et qui les laisse épuisés et déprimés, rien ne va plus. Le mari d'Agatha est sans travail et tous deux décident d'aller s'installer en province pour y mener une vie plus économique.

La maison qu'ils louent à Sunningdale paraît à la jeune femme d'autant plus inhospitalière qu'elle se sent à présent coupée de ses amis de Londres. Elle engage alors une secrétaire, Charlotte Fisher – dite Carlo –, la confidente des difficiles années à venir. En 1924, Agatha publie un recueil de poèmes composé de pièces écrites au fil des années depuis son adolescence, au nombre desquelles figurent les fameux vers consacrés aux personnages de la Commedia dell'arte.

Sans doute éprouve-t-elle douloureusement la rencontre de ses anciennes rêveries amoureuses, pleines d'un fol espoir, avec l'état présent de sa vie. Car, tandis que paraît ce livre intitulé *La Route des rêves*, les spirales du malheur ont presque complètement encerclé la pauvre Agatha. Elle sait qu'Archie ne l'aime plus, qu'il s'est épris d'une autre femme. Seule, la fiction peut encore éloigner le spectre du désastre. Alors, affectueusement secondée par Carlo, qui écrit sous sa dictée, elle vient à bout de l'intrigue du *Secret de Chimneys* puis s'attelle à une œuvre plus ambitieuse, *Le Meurtre de Roger Ackroyd*. L'idée de ce livre lui a été soufflée par son beau-frère, James Watts. Mais, plus tard, en 1969, un autre « inspirateur », Lord Mountbatten lui-même, se rappellera au souvenir d'Agatha, évoquant une lettre adressée à la romancière en mars 1924 dans laquelle il développait l'astuce aujourd'hui reconnue comme l'une des plus audacieuses de toute l'histoire de la fiction policière...

Roger Ackroyd paraît à la fin du printemps 1926, alors que le couple Christie fait naufrage. Archie passe tous ses week-ends auprès de sa maîtresse, une certaine Nancy Neele, qu'il retrouve à Londres. Pendant ce temps, dans la nouvelle maison, qu'Agatha a tenu à baptiser « Styles », l'écrivain sent ses moyens l'abandonner. Elle ne dicte plus que quelques lignes par jour à Carlo. Madge propose alors un voyage en Corse. Au retour, Agatha tombe sérieusement malade. Puis survient la terrible nouvelle de la mort de Clara Miller. Un sentiment d'abandon envahit alors la malheureuse Agatha qui ne doit son salut provisoire qu'à un séjour prolongé à Ashfield, lieu du bonheur enfui, et qu'elle craint par-dessus tout de perdre après sa mère.

La raison et son entourage implorent Agatha de demander le divorce, mais elle ne veut rien savoir. Carlo est inquiète pour sa santé. À la fin de l'automne 1926, le médecin des Christie conseille à Carlo de veiller jour et nuit sur sa maîtresse. C'est dire qu'on craint le pire.

Alors, comme sous l'effet d'un mécanisme de l'esprit qui ne pouvait germer, peut-être, que chez une femme rompue aux plus subtiles roueries de l'imaginaire, naît dans le cerveau d'Agatha une intrigue diabolique. Dans la soirée du 3 décembre 1926, en l'absence de Carlo, Agatha Christie prend place à bord de sa petite automobile, une Morris, et s'élance dans le brouillard... Le matin suivant, le véhicule est retrouvé dans un fossé proche d'une mare des environs de Sunningdale. « Ce fut le commencement d'un cauchemar de dix jours », écrira plus tard Carlo. La police du comté organise une battue, tandis que les reporters et les badauds s'attroupent devant les grilles de « Styles ». Pâle et défait, Archie Christie confie à un journaliste du *Daily Mail* qu'il est prêt à offrir 500 livres sterling à toute personne susceptible de l'aider à retrouver sa femme. L'affaire prend l'allure d'un jeu de pistes, auquel participeront d'ailleurs Edgar Wallace et une consœur et amie de la romancière, Miss Dorothy Sayers. Les journaux publient des photos d'Agatha retouchées selon « divers déguisements » que la disparue aurait pu revêtir. Les jours passent. Certains n'hésitent pas à porter les plus graves accusations sur Archie Christie. Puis, subitement, dans la soirée du 14 décembre, survient le dénouement du drame, dans le décor rococo de l'Hydro Hotel de Harrogate, une station thermale du Yorkshire. La police et Archie, prévenus par un des musiciens de l'orchestre qui joue chaque soir à l'hôtel, font irruption dans le lounge et sont mis en présence d'une Agatha hébétée, tandis que le gérant de l'établissement précise que cette pensionnaire lui est connue sous le nom de Thérèse Neele...

Agatha est aussitôt soustraite à la curiosité de la presse et un communiqué rédigé par Archie signale que son épouse « souffre d'amnésie ». Ce coup de théâtre suscitera, évidemment, un grand nombre de théories, la plupart évacuant la solution jugée facile de la perte de mémoire au profit de rumeurs dont la plus insistante demeure, à ce jour, celle d'un coup publicitaire savamment orchestré par l'auteur du *Meurtre de Roger Ackroyd*. Quelle meilleure promotion aurait-on pu imaginer, en effet, pour lancer auprès du public une œuvre aussi fascinante, sortie des presses de l'éditeur William Collins quelques semaines plus tôt ?

*

La vie d'Agatha Christie ne sera plus la même après le singulier épisode de l'hiver 1926. Définitivement rétive à toute publicité, n'acceptant plus que quelques rares interviews, la romancière panse ses multiples plaies. Son divorce d'avec Archibald Christie est prononcé en 1928. La page est définitivement tournée et, requise à nouveau par ses chères intrigues, Agatha noircit de notes jusqu'aux cahiers d'écolière que sa fille laisse traîner derrière elle.

Pour échapper davantage à ce monde qu'elle considère comme hostile, l'idée lui vient alors d'écrire, sous un pseudonyme, une histoire n'ayant rien de commun avec ses récits policiers. Ce sera le premier roman signé Mary Westmacott – le nom de jeune fille de Grannie –, *Musique Barbare* (1930).

Il existe aussi, bien sûr, un autre moyen de fuir les rumeurs et le regard de ceux qui ne comprennent pas toujours le comportement de cette femme étrange, c'est de partir. Agatha découvre alors les plaisirs de l'Orient-Express. Son premier périple l'emmènera jusqu'à Bagdad, où elle rend visite au chantier de fouilles archéologiques de Sir Leonard Woolley. L'épouse du célèbre découvreur de la mythique cité d'Ur a dévoré *Le Meurtre de Roger Ackroyd*, aussi la romancière est-elle accueillie à bras ouverts. Immédiatement, l'ambiance qui règne sur le chantier l'accapare et la séduit. Rentrée à Londres, elle se remet sereinement au travail. Nouvelles et romans jaillissent de la machine à écrire portable installée dans le salon de Cresswell Place, dont l'escalier est si étroit qu'Agatha, qui a pris de l'embonpoint, y passe de justesse.

En 1930, Miss Marple fait irruption dans *L'Affaire Prothero*. Les fantômes de l'enfance d'Agatha ont présidé à la naissance de cette vieille fille omnisciente et douée d'un flair étonnant, qui n'est pas sans rappeler le personnage de Catherine, la sœur du docteur Sheppard, narrateur du *Meurtre de Roger Ackroyd*. Avec Miss Marple, Agatha va rendre hommage à la vie provinciale qu'elle a connue jadis dans le Devonshire. Mais le petit village de St.Mary Mead où évoluent Miss Marple, ses voisins et ses amis, devient le territoire soigneusement repéré où de sanglantes énigmes seront résolues grâce au flair exemplaire d'une vieille fille qui ressemble étonnamment à la grand-mère d'Agatha.

À l'automne de cette année bien remplie, puisqu'elle a vu aussi les débuts de Mrs Christie comme auteur de théâtre, avec une pièce intitulée *Café noir*, où le jeune Charles Laughton incarne Poirot, Agatha part rejoindre ses amis Woolley à Bagdad. Elle y retrouve aussi un assistant zélé de Sir Leonard, âgé de vingt-six ans, Max Mallowan. Tout le monde, au chantier de fouilles, a compris quel tendre lien unissait déjà la célèbre romancière et le timide archéologue... Et c'est sans tambours ni trompettes que, quelques mois plus tard, Max et Agatha s'uniront dans une petite église des environs de Liverpool.

La décennie qui commence sera celle du plein épanouissement de l'écrivain et du retour d'Agatha à une certaine plénitude. Dans un livre émouvant qu'elle publiera plus tard sous le titre de *Viens, dis-moi comment tu vis*, elle évoque cette période avec humour. Chaque année, vers la fin de l'été, l'écrivain s'échappe à bord de son cher Orient-Express à destination de l'Irak, se muant en photographe de l'équipe de Max. Les ouvriers indigènes ont très vite adopté cette Anglaise au caractère enjoué, qui participe à leurs travaux comme à un grand jeu. Agatha considère en effet le métier d'archéologue comme très proche de celui d'auteur de romans d'énigme : la mise au jour d'un site antique ne ressemble-t-elle pas étrangement au patient labeur du détective chargé de reconstituer la vie de la victime ?

Rentrée à Londres et redevenue romancière, Agatha est au meilleur de sa forme. Elle va écrire quelques-uns de ses chefs-d'œuvre : *Le Couteau sur la nuque* (1933), *Le Crime de l'Orient-Express* (1934), *Drame en trois actes* (1935), *Meurtre en Mésopotamie* (1936), *Mort sur le Nil* (1938). En dépit de sombres ennuis avec le fisc américain – car Agatha est devenue, outre-Atlantique, la grande rivale de S.S. Van Dine et d'Ellery Queen – Mrs Mallowan va pouvoir réaliser le rêve qu'elle caresse secrètement depuis la perte d'Ashfield : l'achat d'une maison de vacances dans le Devon. En 1938, Max et elle deviennent les heureux propriétaires du domaine de Greenway, dont le parc immense domine l'embouchure de la rivière Dart, à quelques kilomètres seulement de Torquay.

C'est à Greenway qu'Agatha entreprend l'écriture du livre qui établira définitivement sa renommée : *Dix Petits Nègres*.

Le décor choisi par elle pour y situer l'action en vase clos de cette étrange histoire est bien connu de ceux qui fréquentent la côte sud-ouest de l'Angleterre, puisqu'il s'agit de Burgh Island, une presqu'île rocheuse située tout près de Dartmouth et que la romancière, d'un coup de baguette magique, transforme en île du Nègre, un lieu sauvage sur lequel s'élève la maison d'un certain Mr Owen.

Petite fille, Agatha a lu et relu *L'Île mystérieuse*, de Jules Verne, et, à n'en pas douter, le personnage du capitaine Nemo l'a hantée au point de lui fournir, sous forme d'anagramme, le nom du mystérieux individu qui invite chez lui les dix victimes du roman. Nemo veut dire « personne » – c'est également la fonction de cet Owen qui intrigue tant chacun de ses invités, attirés sous l'effet d'une sorte de transe par les messages qu'ils ont reçus. Je parle d'hypnose et de transe pour la raison qu'il est possible d'envisager la mise en scène de *Dix Petits Nègres* à la manière d'une de ces « séances » spirites présentes dans un certain nombre de textes antérieurs de Christie. Mais cette fois, c'est le décor ambigu, théâtral, de l'île du Nègre qui sert de toile de fond au drame.

Thomas de Quincey écrivait : « Afin qu'un nouveau monde puisse faire son entrée, ce monde-ci doit pour un instant disparaître. Le meurtrier et les meurtres doivent être isolés, retranchés par un gouffre incommensurable du flot et de la suite ordinaire des affaires humaines, enfermés et claustrés en quelque profonde retraite. L'île du Nègre aura donc pour fonction de créer les conditions idéales d'une série d'assassinats, devenue comme par magie l'envers du jardin d'Eden – jadis Ashfield, aujourd'hui Greenway. Sur cette île vouée au malheur, chacun des dix invités va subir l'affront d'un rappel de son passé – sous la forme malicieuse imaginée par Agatha qui semble avoir ainsi anticipé la version scénique du roman...

Mais restons-en à l'essentiel de sa structure, étonnamment simple et suffisamment déroutante. Une comptine a fourni à l'auteur le découpage, le suspense et le dénouement de la fiction. Il s'agit d'une de ces courtes histoires portant le nom de *Nursery rhymes* et que tous les enfants de la génération de Mrs Christie ont appris à scander, haï-kus morbides dont notre romancière a déjà fait surgir, de façon plus ou moins rigoureuse, *Cinq Petits Cochons* ou la pièce *Trois Souris aveugles* – qui deviendra *La Souricière*. Aux dix couplets de la comptine vont correspondre dix statuettes fatidiques dont la chute, tel un rituel vaudou, accompagne la mort violente de chacun des invités de Mr Owen. Par cet artifice, Christie obtient mieux qu'un simple coup de théâtre. Elle change d'un coup de plume les règles du jeu. C'est ainsi, que, dans *Dix Petits Nègres*, les personnages vont, à tour de rôle, être victime, suspect et détective, l'un d'eux jouant en outre le rôle du meurtrier. Le *whodunnit* (qui a fait le coup ?) s'associe au *howdunnit* (comment s'y est-il pris ?) dans un duel serré de l'auteur avec le lecteur, celui-ci restant bon gré mal gré soumis à l'insoutenable tension d'une dissimulation totale des manigances de l'assassin. Agatha Christie décide de ne plus obéir aux règles sacro-saintes du *detective novel*, mais comment lui en vouloir, dès lors que le suspense qu'elle instaure nous ravit du même coup à la monotonie de certaines réussites du genre ?

J'ai cité plus haut cette réflexion de la romancière, donnant pour raison primordiale à l'accomplissement de son forfait littéraire le plus remarquable, la « gageure » que celui-ci représentait à ses yeux. Elle ajoute à ces mots : « Dix personnes devaient mourir sans que cela parût ridicule ou que le meurtre fût évident. » Certes. Mais le pari de la praticienne aguerrie du roman d'énigme consiste en un exploit d'une tout autre importance. Retranchée dans l'une des chambres de Greenway, encore une fois débarrassée des vaines contingences d'un monde qui ne lui avait jamais rendu la vie facile – la trahison d'Archie n'est que l'exemple le plus visible des déceptions que la vie adulte lui apporta –, Agatha renoue une nouvelle fois avec le jeu des figurines de Dresde.

Comme dans les pièces policières que Christie prendra par la suite tant de plaisir à composer, chacun des protagonistes est un élément de ce subtil mouvement d'horlogerie qu'elle déclenche puis mène à son terme au fil d'une vertigineuse course vers la mort. Les figurines obéissent aux figures imposées du ballet dangereux imaginé par la petite fille d'Ashfield, au rythme d'une musique qui n'est autre, cette fois-ci, que celle de la comptine chantée autrefois par sa mère ou Nanny. Aucune d'entre elles, pas même celle figurant le juge machiavélique, rayé du monde des vivants aux dernières lignes du roman, n'a pris de relief. Tout s'est passé comme si la romancière avait voulu enfin tirer la couverture à elle, avec cette histoire sans héros, pas même celui que constituait, dans *Roger Ackroyd*, le fort peu sympathique docteur Sheppard. La clarté du récit, mené tambour battant, confère au suspense implacable l'allure d'un tour de passe-passe. À l'issue de l'histoire, le décor est démonté, les domestiques rentrent chez eux et l'île du Nègre redevient un rocher battu par les flots. On est prié d'oublier tout – sauf le fabuleux numéro d'actrice d'Agatha qui salue et savoure longuement les applaudissements d'un lectorat en délire. Jadis, notre romancière n'avait-elle pas rêvé de faire délicieusement frissonner l'auditoire délicat de quelque salle Pleyel ? *Dix Petits Nègres* fait référence au genre peut-être le plus trivial du divertissement musical – une chansonnette composée au milieu du siècle dernier par l'Américain Septimus Winner – mais tout l'art d'Agatha est d'avoir hissé au rang de chef-d'œuvre littéraire la version inspirée, étoffée de tous ses fantasmes et parée de toutes ses fascinations esthétiques, d'un *motif* dont la symbolisation graphique – une île en forme de tête de mort et dix petites statuettes – pourrait servir de blason à la duchesse de la Mort. S'appuyant sur de solides fondations, celles de toute son œuvre passée et future, Christie réalise un autre exploit, celui de ne pas composer à proprement parler un «roman policier», mais un roman ne ressemblant à rien de ce qu'ont produit ses confrères et néanmoins rivaux – elle ne les fréquenta guère et les snoba même à maintes reprises –, un livre inclassable mais en lequel se reflète comme en un miroir de sorcière tout son art poétique.

L'aventure des *Dix Petits Nègres*, lisible avec ferveur en une soirée, doit-elle être considérée pour autant comme le testament littéraire d'Agatha Christie? Un testament anticipé, diront certains, mais nous savons à présent que, quelques mois plus tard, l'auteur se lancera dans la rédaction des deux autres parties du triptyque final, la dernière mission de Poirot et l'ultime enquête de Miss Marple. La thématique vengeresse qui sous-tend chaque mouvement de la sinistre comptine porte à croire que l'idée lui était alors venue d'une fiction dernière, porteuse du message le plus vénéneux jamais conçu par cet esprit méthodique. L'île du Nègre, version noire, sans issue, de tant de lieux délicieusement mondains et surannés – le Saint-Loo de *Crime du golf*, l'hôtel des *Vacances d'Hercule Poirot*, etc. – encadre idéalement le cauchemar de ces compagnons d'une vie que furent Arlequin, Colombine et leurs trois complices. En 1948, lors de la réédition simultanée de dix de ses romans dans la collection Penguin, Agatha Christie accepta de composer, pour chaque livre, une brève préface. Celle dévolue au recueil *Le Mystérieux Mr Quin* apportait enfin d'utiles précisions sur les figurines génératrices. Après avoir rappelé leur existence sur la cheminée de la maison de Grannie, Agatha ajoutait :

« Adolescente, j'ai composé à leur sujet une série de poèmes et je crois que l'un d'entre eux, "Le chant d'Arlequin", fut ma première œuvre publiée. Après que j'eus choisi de me détourner de la poésie et des histoires de fantômes au profit de la fiction criminelle, Arlequin refit cependant son apparition ; figure invisible lorsqu'il le souhaitait, nullement humain mais intéressé aux affaires humaines, plus particulièrement aux problèmes des amoureux. Il est aussi l'avocat de la mort. »

Dès lors, pourquoi ne pas penser que l'écrivain avait encore présente à l'esprit l'image *dédoublée* des cinq acteurs de la Commedia dell'arte, quand vint le moment de concevoir l'intrigue des *Dix Petits Nègres* ? Cette fois, cependant, le motif poétique des enquêtes de Harley Quin tout comme la simple astuce de construction du *Bal de la Victoire* se sont associés à la chansonnette victorienne, lancinante et funèbre. En se croisant harmonieusement, ces deux motifs ont provoqué l'imparable déroulement du récit. Et ce n'est certainement pas un hasard si cette arlequinade nous évoque un autre chef-d'œuvre, né du pinceau du peintre symboliste Arnold Böcklin, cette *Île des morts* qui découpe sa masse rocheuse parée de bosquets de cyprès sur le ciel le plus noir, tandis que, vue de dos, la femme voilée qui s'approche lentement de la rive pourrait bien être notre romancière en deuil de l'amour de sa vie. Celle-là-même qui, pourtant très réticente à laisser les cinéastes s'emparer de son œuvre, a autorisé René Clair à composer avec *Et il n'en restera qu'un*, en 1945, la version filmée la plus convaincante et la plus obsédante de cette histoire sans pareille.

François RIVIÈRE

TABLE

Imprimé en France sur Presse Offset par

BRODARD & TAUPIN

GROUPE CPI

La Flèche (Sarthe).
N° d'imprimeur : 5057 – Dépôt légal Édit. 8073-12/2000
LIBRAIRIE GÉNÉRALE FRANÇAISE - 43, quai de Grenelle - 75015 Paris.

ISBN : 2 - 253 - 00396 - 4   ◈ 30/0954/5